디지털 콘텐츠 산업 분석보고서

BT TIMES

목차

Contents

1. 시작하는 말

1. 시작하는 말

현대사회의 디지털 콘텐츠는 기존 아날로그 콘텐츠와 비교했을 때, 시간과 공간의 제약이 없다는 장점이 있으며 기존 유통체계에 비해 엄청난 비용 절감 효과를 가져왔기 때문에 고부가 가치의 고속성장성 산업이라고 할 수 있다.

이는 디지털 콘텐츠 산업이 하드웨어와 네트워크의 빠른 발전에 따라 신수요가 급격히 팽창하는 특성을 지니고 있기 때문이다. 디지털 콘텐츠는 한 번 개발하면 하나의 소스로 다양한 디지털 기기에서 활용될 수 있으며, 별도의 추가비용 없이 재생산되어 어디에서나 활용 가능한 장점이 있고, 주시장보다 파생시장의 규모와 수익이 더 큰 사업이다. 또한 디지털 콘텐츠 산업은 다가오는 유비쿼터스 컴퓨팅 시대에 최적화되어 있다는 점을 들 수 있다. 디지털 TV, 텔레매틱스, 이동통신 등 신 성장 동력의 성장과 수익 창출에 있어 디지털 콘텐츠만큼 적합하며 빠르게 성장하고, 고수익을 보장해 줄 수 있는 사업 분야는 없는 실정이다.

이에 따라 디지털 콘텐츠 산업은 다양한 분야에서 성장하고 있는데, 문화콘텐츠, 산업용 실감 콘텐츠, 서비스 플랫폼, SW 솔루션 등으로 구분될 수 있다. 우리가 흔히 디지털 콘텐츠라고 부르는 것들은 대부분 '문화 디지털 콘텐츠'로 분류된다. 출판물, 만화, 음악, 방송, 영상, 광고, 게임, 애니메이션 등이 문화콘텐츠에 속한다.

먼저 출판물의 경우는, 기존 인쇄책 형식에서 벗어나 '전자출판(E-book)' 산업으로 옮겨가고 있는 추세다. 종이책뿐만 아니라 오프라인 서점 역시 매출이 감소하는 추세다. 그러나 출판업계 관계자 및 IT분야 전문가들은 디지털 사회의 가속화로 '책'이 완전히 사라지거나 쇠퇴할 가능성은 매우 낮다고 보고 있다. 오히려 IT기술과 책이 접목된 '전자책(E-book)' 산업이 새로운 돌파구를 찾아낼 것이라는 전망이다. 이밖에 디지털 게임, 디지털 만화(웹툰), 디지털 방송이라는 큰 분류 아래 유튜브, 실시간 인터넷 방송, OTT서비스 등의 콘텐츠와 VR, AR로 분류되는 실감 콘텐츠 등 디지털 콘텐츠의 범위는 그야말로 무궁무진하다고 말할 수 있다.

따라서 본 보고서에서는 국내 디지털 콘텐츠 산업을 디지털 콘텐츠의 분류별로 살펴보았고, 해외 디지털 콘텐츠 산업은 '실감 콘텐츠', 그리고 더 나아가 최근 화두로 떠오르고 있는 '메타버스' 시장을 중점적으로 글로벌 기업들의 현황을 알아보았다.

2. 개념

2. 개념

가. 디지털 콘텐츠의 정의

Digital Contents

Digital contents라는 단어를 나눠서 살펴보면 Digital은 정보표현방식, Contents는 부호, 문자, 소리, 영상, 화상, 이미지 등 여러 형태로 이루어진 정보, 지식, 데이터베이스를 총칭하는 것을 알 수 있다. 따라서 '디지털 콘텐츠'는 인터넷을 이용하여 유통되는 문자, 소리, 화상, 영상 등의 형태로 이루어진 내용물이지만 정보와 단순한 내용물만을 의미하는 것이 아닌 여러 정보 기술을 이용하여 부가가치를 창출하는 자산으로 거래 및 서비스가 내재된 형태의 통합적 개념이기도 하다.

디지털콘텐츠를 구성하기 위한 3가지 기본요소로 콘텐츠, 디자인, 기술을 들 수 있다. 이 세 가지의 구성요소를 총칭하여 콘텐디자이닐리지(ContenDesigNology)라고 한다. 콘텐디자이닐리지는 디지털콘텐츠 개발에 있어서 가장 핵심적인 구성요소로서 디지털콘텐츠를 효과적으로 전달하기 위해서는 사용자들의 특성을 잘 반영하는 것이 필요하며, 사용자 지향적인 정보를 정확하게 제공할 수 있어야 한다.

한편, 스마트 플랫폼을 통한 콘텐츠 확산으로 디지털 콘텐츠의 가치는 더욱 높아지고 있다. 디지털 콘텐츠는 저작권으로 보호받는 저작물과 저작권과 무관한 지식과 정보로 나눈다. 디지털 플랫폼이 다양해지고 사용자가 콘텐츠를 제작하는 환경이 조성되면서 디지털 콘텐츠를 어디까지 보호할 것인지에 대한 저작권 가이드라인이 필요하다는 의견도 제시되고 있다.

구분	아날로그 콘텐츠	디지털 콘텐츠
제공수단	책, 신문, TV 등의 기존 미디어로 제공되는 콘텐츠	최신 정보기술을 활용하여 디지털로 제작된 정보생산품
제공형태	아날로그	디지털
제공방향	단방향	쌍방향
제공주체	콘텐츠 제공자와 이용자가 명확히 구분	콘텐츠 제공자와 이용자의 구분이 불명확
제약성	시간과 공간의 제약을 받음	시간과 공간의 제약이 없음
개선비용	업데이트의 비용이 큼	업데이트가 쉽고 비용이 저렴
제공절차	순차적인 방법으로 정보를 제공	정보의 제공방법이 자유로움

[기존 콘텐츠와 디지털 콘텐츠의 비교]

기존 아날로그 콘텐츠와 디지털 콘텐츠의 특징을 비교하면 위와 같다. 디지털 콘텐츠의 가장 큰 특징으로는 시간과 공간의 제약이 없으므로 기존 유통체계에 비해 엄청난 비용 절감 효과를 가져왔다는 것이다. 또한 디지털 콘텐츠 관련기업의 생산성 증가와 동시에 소비자의 구매차원에서의 편리성이 증대되었다.

디지털 콘텐츠 산업의 특징을 살펴보면, 먼저 고부가가치의 고속성장성을 들 수 있다. 이는 디지털 콘텐츠 산업이 하드웨어와 네트워크의 빠른 발전에 따라 신수요가 급격히 팽창하는 특성을 지니고 있기 때문이다. 한편, 디지털 콘텐츠는 한 번 개발하면 하나의 소스로 다양한 디지털 기기에서 활용될 수 있으며, 별도의 추가비용 없이 재생산되어 어디에서나 활용 가능한 장점이 있고, 주시장보다 파생시장의 규모와 수익이 더 큰 사업이다. 또한 디지털 콘텐츠 산업은 다가오는 유비쿼터스 컴퓨팅 시대에 최적화되어 있다는 점을 들 수 있다. 디지털 TV, 텔레매틱스, 이동통신 등 신 성장 동력의 성장과 수익창출에 있어 디지털 콘텐츠 만큼 적합하며 빠르게 성장하고, 고수익을 보장해 줄 수 있는 사업 분야는 없는 실정이다.

[디지털콘텐츠 산업 분류체계 (案)]

대분류	중분류	소분류
문화콘텐츠	문화 디지털콘텐츠	디지털출판
		디지털만화
		디지털음악
		디지털방송
		디지털영화
		디지털광고
		디지털게임
		디지털애니메이션
		디지털공연전시
		디지털정보콘텐츠
		e-learning
	문화 실감콘텐츠	실감 문화콘텐츠
산업용콘텐츠	산업용 실감콘텐츠	산업범용 실감콘텐츠
		산업특화 실감콘텐츠
서비스 플랫폼	디지털콘텐츠 서비스 플랫폼	디지털콘텐츠 유통플랫폼
		디지털 커뮤니케이션
	실감콘텐츠 서비스 플랫폼	실감콘텐츠 판매
		실감콘텐츠 서비스
SW솔루션	디지털콘텐츠 SW솔루션	디지털콘텐츠 SW솔루션
	실감콘텐츠 SW솔루션	실감콘텐츠 제작 소프트웨어
		기기용 소프트웨어
기기 및 부분품	실감콘텐츠 기기 및 부분품	전용 기기 및 장치물
		부분품

디지털 콘텐츠 산업은 문화콘텐츠, 산업용 실감 콘텐츠, 서비스 플랫폼, SW 솔루션 등으로 구분할 수 있는데, 우리가 흔히 디지털 콘텐츠라고 부르는 것들은 대부분 '문화 디지털 콘텐츠'로 분류된다. 출판물, 만화, 음악, 방송, 영상, 광고, 게임, 애니메이션 등이 문화 콘텐츠에 속한다.

그중에서도 모바일 콘텐츠는 이동통신과 디지털콘텐츠의 결합으로 탄생했다. 이러한 모바일 콘텐츠는 무선 데이터 전송이 가능한 콘텐츠, 휴대폰 단말기를 활용한 서비스 및 이용이 가능한 콘텐츠라 정의할 수 있으며, 어디서나 연결이 가능하다는 것과 최근 아이폰의 도입 과정에서 이슈화된 위치정보확인의 특징이 있다.

또한 디지털 영상으로는 대표적으로 DMB가 있다. DMB와 더불어 DVD, IPTV, 디지털 방송, 인터넷 방송을 디지털 영상의 카테고리라 할 수 있는데, 디지털 영상이란 디지털 기술을 이용하여 새로운 영화, 애니메이션, 방송콘텐츠 등의 영상콘텐츠를 제작, 편집한 것이라 정의내릴 수 있다. 다음은 디지털 콘텐츠 산업의 장단점을 구분하여 표로 정리했다.[1)]

구분	장점	단점
디지털 콘텐츠 산업의 특징	• 네트워크 망을 통한 편리하고 빠른 배급과 유통이 가능하다. • 하나의 콘텐츠를 여러개로 혹은 여러개의 콘텐츠를 하나의 콘텐츠로 결합이 가능하며, 멀티미디어 콘텐츠 생성이 쉽다. • 기존의 단방향적인 대충매체에 비해 생산자와 소비자가 구분되는 것이 아니라 정보이용자가 동시에 정보제공자가 되는 상호작용이 가능하다. 이러한 상호작용은 개인화, 지식화를 통해 더 큰 부가가치를 창출하는 바탕이 된다.	• 개인정보의 유출과 무단복제(저작권문제)의 문제점을 지니고 있다. • 인간의 오감을 모두 이용하는 아날로그에 비해 지나치게 시각과 청각에 의존한다.

1) 디지털 콘텐츠. 2021.6.23. 위키백과

나. 디지털 콘텐츠의 환경 변화

스마트기기의 빠른 보급 및 확산은 콘텐츠 소비 행태에 변화를 주었으며, 디지털 콘텐츠 산업의 환경을 변화시켰다. 스마트 모바일 기기의 속성은 웹에 자유롭게 접속할 수 있는 이동성, 편리한 UI, 모바일 OS 등이라고 할 수 있으며, 기존 PC위주의 환경에서 모바일 콘텐츠 산업으로 빠르게 옮겨가고 있다. 이에 따라 과거 ICT 생태계는 PC생태계와 모바일생태계가 각각 독립적으로 진화하고 있었으나 네트워크 고도화가 이루어지면서 모바일 생태계가 변화되고 있다.

유선망의 PC환경에서만 사용 가능한 PC 생태계 환경이 3G, WIFI 등 무선 네트워크 기술의 등장으로 공간의 제약이 없는 인터넷 사용 환경으로 발전하였으며, 이동통신망을 지속적으로 고도화하면서 음성과 문자메시지 중심의 서비스에서 데이터 중심의 서비스를 실시하고 있다.

또한 모바일 생태계 속 인터넷망이 등장하면서 모바일 콘텐츠를 제공하는 방식과 수요 및 공급 구조의 변화로 콘텐츠 사업자와 플랫폼 사업자들이 직접 사용자에게 인터넷망을 통해 콘텐츠를 전송하면서 최종 수용자의 니즈는 다양해지고 이러한 니즈는 다시 새로운 애플리케이션에 반영되어 공급하게 되었다.

모바일 생태계는 과거 이동통신망과 단말기 시장이 중심이던 하드웨어 환경이 인터넷의 영향이 증가하면서 다변화된 콘텐츠 유통경로를 통한 방송, 게임, 출판, 영화 등과 같은 앱 형태의 콘텐츠와 SNS, LBS, 모바일결재 등의 서비스에 대한 공급과 수요가 증가하면서 소프트웨어 환경으로 변화되었다.[2)]

한편, 새로운 미디어와 플랫폼의 등장으로 디지털콘텐츠는 다른 형태로의 변환이 간편해졌으며, 새로운 기술 및 타산업과 융합되면서 고부가가치를 갖는 새로운 시장을 창출하고 있다. 이에 따라 콘텐츠 제작에 증강현실(AR), 가상현실(VR), 인공지능(AI) 기능을 적용한 스마트 디바이스가 보급되기 시작하였다.

기존 IP를 활용한 새로운 디바이스, 새로운 분야(기술)에서의 활용을 통한 디지털콘텐츠가 다양한 장르에서 활발히 생산되고 있으며, 시장에서도 큰 성과를 보이고 있다. 특히 게임업계의 IP 다각화가 두드러졌는데, 대표적으로 'PokemonGo'는 유명 IP에 AR을 적용한 것으로 사람들 사이에서 큰 인기를 끌었다.[3)]

이러한 ICT 생태계변화는 ICT 시장을 **콘텐츠(C)-플랫폼(P)-네트워크(N)-디바이스(D)**의 가치사슬 관계로 구성하여 유기적으로 상호 작용하며 생태계를 구성하고 있다. 콘텐츠(C) 영역에는 게임과 같은 소프트웨어 자체, 소프트웨어를 응용한 사진, 서적, 음악, 동영상 등이 있으며, 플랫폼(P) 영역에는 정통적인 개념인 Operating System, 미디어, SNS, 광고 등 개별 플랫폼 및 콘텐츠의 전달/관리, 플랫폼 간의 연계 등이 있고, 네트워크(N) 영역에는 PSTN, 인터넷망, 지능형 네트워크 등이 구성되어 있으며, 디바이스(D) 영역에는 컴퓨터 및 전기기기 제조업, 통신장비 제조업 등이 있다.[4)]

2) 김용재/김규남/정현준(2013), "ICT생태계 환경변화에 따른 세부 산업별 최적 연구개발(R&D) 규모에 관한 연구"재인용
3) 'Pokémon GO' Is About To Surpass Twitter In Daily Active Users On Android (Fobes,SimilarWeb 2016-07-10)
Pokémon GO: The Data Behind America's Latest Obsession (similarWeb, 2016-07-10)
4) Nipa 이슈리포트 2018-제24호 2018.6.11. 『4차 산업혁명 시대, 디지털 콘텐츠 산업 생태계』 정보통신산업진흥원 디지털 콘텐츠 사업 본부 p.2~3

3. 국내 디지털 콘텐츠 산업

3. 국내 디지털 콘텐츠 산업

가. 디지털 출판(전자출판)

전자책은 휴대기기(휴대폰, PMP, PDA 등)나 컴퓨터로 볼 수 있는 특수한 포맷의 파일이라 할 수 있다. 일반적으로 전자책이라고 할 때는 텍스트 파일과 같은 범용 파일 포맷이 아니라 저작권 보호를 위해 DRM 기능을 탑재할 수 있는 특수한 포맷을 가진 파일을 말한다.

전자책은 오프라인 형태의 CD-ROM 등과 온라인 형태의 인터넷 출판을 포괄하는 개념으로 하드웨어 형태의 전자책과 소프트웨어 형태의 전자책으로 분류할 수 있다. 하드웨어 형태의 전자책은 PDA 등 전용 단말기를 통해 볼 수 있는 전자책으로서 인터넷 등을 통해 파일을 다운로드 받아서 사용하게 된다. 한편, 소프트웨어 형태의 전자책은 휴대용 컴퓨터나 PC 등의 환경에서 인터넷 등을 통해 다운로드 받아 사용되며 때로는 전용뷰어를 설치하여 보게 된다.

전자책 솔루션에 따라 조금씩 다르지만 일반적으로 메모, 줄 긋기, 검색 기능을 지원하는 경우도 있다. 하지만 이런 기능은 대부분 PC 버전에 국한되며, 포터블 단말기에서 지원하는 경우는 디스플레이 특성 관계로 화질이 저하되는 문제가 이용자들 사이에 제기되고 있다.[5] 실제로 우리나라 국민들의 '종이책' 이용률은 해마다 급격히 줄어드는 추세다. 문화체육관광부에서

5) 전자책. 2020.7.13. 위키백과

2020년 3월 발표한 '2019년 국민 독서실태 조사' 보고서에 따르면 우리나라 성인의 종이책 독서율은 △**2013년 71.4%** △**2015년 65.3%** △ **2017년 59.9%** △**2019년 52.1%** △**2021년 40.7%** △**2023년 32.3%**로 급격히 감소하는 추세를 보이고 있다.

출처: 문화체육관광부

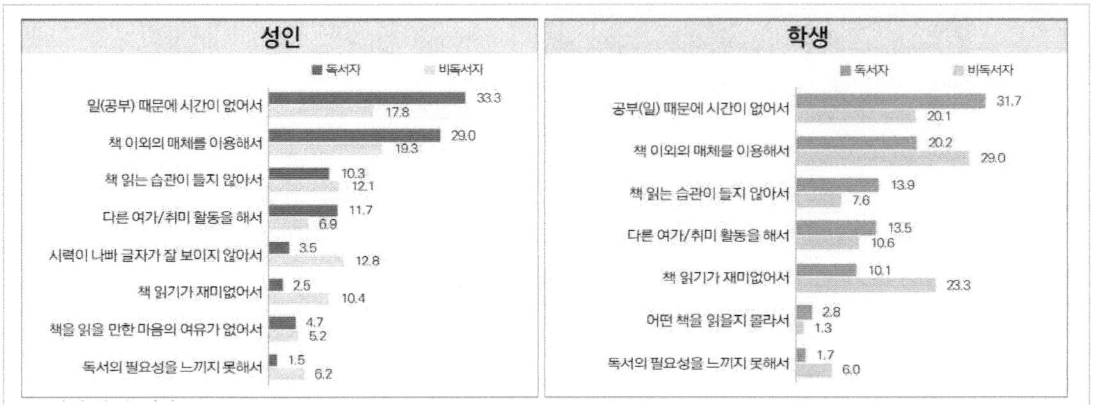

문화체육관광부는 만 19세 이상 성인 5천 명과 초등학생(4학년 이상) 및 중·고등학생 2,400명을 대상으로 실시한 '2023년 국민 독서실태 조사'에서 국민들이 독서하기 어려운 이유로 두 번째로 많이 꼽은 것은 성인의 경우 **'책 이외의 다른 매체를 이용'(23.4%)**이었다고 밝혔다. 이는 2017년까지 가장 많은 사람들이 꼽았던 '시간이 없어서'를 밀어낸 것으로서, **디지털 환경에서의 매체 이용 다변화가 독서율 하락의 주요 원인 중 하나**임을 보여준다. 참고로 학생의 주된 독서 장애 요인은 2019년도와 동일하게 '공부 때문에 시간이 없어서'라는 응답이 가장 많이 나왔다.

한편, 전자책 독서율은 성인 19.4%, 학생은 51.9%로 '21년보다 각각 0.4%포인트, 2.8%포인트 증가하는 등 모두 증가 추세를 보였으며, 특히 20대 중심으로 증가폭이 큰 것으로 나타났다. 2023년 오디오북 독서율은, 성인은 3.7%, 학생은 평균 15.0%로 2021년 대비 감소한 것으로 조사됐다.6)

종이책뿐만 아니라 오프라인 서점 역시 비슷한 시기에 매출이 감소하는 것을 확인할 수 있었다. 한국출판문화산업진흥원이 2024년도 발표한 '2023 출판산업 실태조사' 보고서에 따르면 국내 오프라인 서점의 매출액 규모 추정 수치는 △2014년 (1조4,286억8,600만원) △2015년 (1조3,801억100만원) △2016년 (1조3,842억4,100만원) △2017년 (1조3,089억8,400만원) △2018년 (1조2,691억9,800만원) △2019년 (1조 2,582억 1,300만원) △2020년 (1조 1,625억 7,800만원) △2021년 (1조 4,155억 1,700만원)으로 2016년을 제외하면 연간 약 3% 가량 매

6) 2023 국민 독서실태 보고서, 문화체육관광부, 2024.04.18

출이 감소하다가 2021년 소폭 상승했다.

그러나 출판업계 관계자 및 IT분야 전문가들은 디지털 사회의 가속화로 '책'이 완전히 사라지거나 쇠퇴할 가능성은 매우 낮다고 보고 있다. 오히려 IT기술과 책이 접목된 '전자책(e-book)' 등의 새로운 돌파구를 찾아낼 것이라는 전망이다.

실제로 대한출판문화협회가 발표한 '2023 출판시장통계' 보고서에 따르면 △ 네이버웹툰(유) △리디㈜ △㈜키다리스튜디오 △㈜레진엔터테인먼트 △ ㈜탑코 등 웹툰 및 웹소설 등 주요 전자책 플랫폼 19사의 총매출액은 약 1조 4,805억원으로 2022년 1조 2,794억원 대비 15.7% 증가했으며, 한국출판문화산업진흥원에 따르면 전자책 유통사들의 매출액 추정 규모는 △2014년 (1,003억6,300만원) △2015년 (1,258억2,300만원) △2016년 (1,567억8,500만원) △2017년 (2,193억5,100만원) △2018년 (2,702억200만원) △2019년(4,198억 2,100만원) △2020년 (4,619억 200만원) △2021년 (5,478억 5,400만원)으로 해마다 평균 24.6% 가량 증가했다.7)

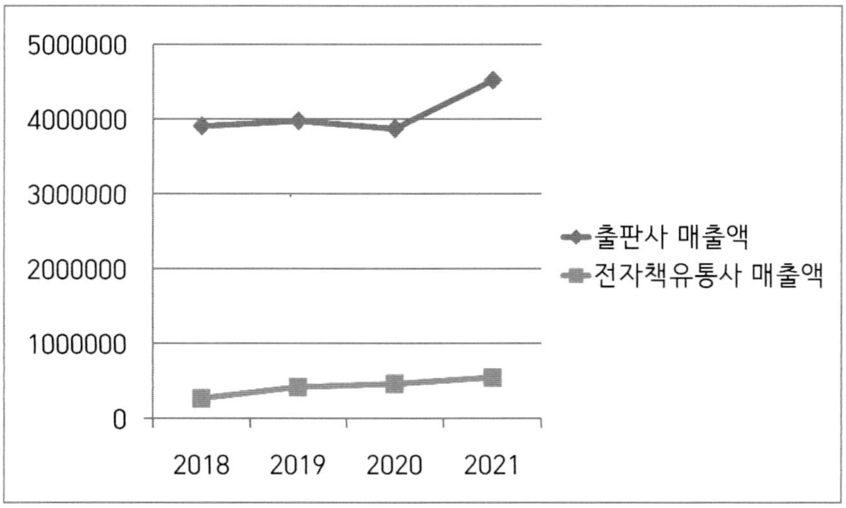

출처: 한국출판문화산업진흥원

한편, 한국출판문화산업진흥원이 발표한 '2022출판산업 실태조사'에 따르면 출판산업 전체 매출과 종사 인력은 각각 연평균증감률 6.0%, 4.9%로 제자리걸음을 면치 못한 반면, 전자책 관련 분야의 매출과 종사 인력은 연평균증감률이 각각 28.6%, 24.7%로 늘어난 것으로 나타났다.

2021년 기준 국내 출판사업체의 총매출은 4조 5,195억 원으로 추정되며 전년 대비 16.7%증

7) 2022 출판산업실태조사보고서, 한국출판문화산업진흥원, 2023.06

가했다. 연평균 2.9%의 증가율을 보이던 출판사업체 매출규모가 2021년 비약적으로 증가한 것은 모집단의 증가에 따른 추정 규모의 상승에 기인한 것으로 보인다. 반면 전자책 유통사 매출은 5478억 원으로 전년(4618억 원) 대비 18.6% 증가했다. 아직 출판업계 전체 매출에서 전자책이 차지하는 비중이 적긴 하지만 성장세 측면으로는 훨씬 높은 수치를 기록하고 있는 것이다.

코로나19 영향이 완화되면서 오프라인 서점의 매출액은 1조3천891억4천만 원으로 전년에(1조1천625만7800만 원)에 견줘 19.5%(2천265만6천200만 원) 증가했다. 온라인 서점 매출액도 소폭 늘었다. 전년 1조9천43억1천800만원에서 작년 1조9천607만5천300만원으로 3.0% 증가했다. 오프라인 서점의 매출이 크게 신장했지만, 종사자 수는 오히려 줄었다. 작년 기준 4천830명으로 전년(6천28명)보다 19.9%(1천198명) 감소했다. 이는 작은 규모의 서점 폐업이 잇따르면서 종사자가 줄어든 것으로 분석됐다.[8)]

업계에선 코로나19 확산으로 출판계의 디지털화가 더욱 가파르게 진전됐을 것이라고 추정했다.[9)]

리디 국내 콘텐츠 플랫폼 스타트업 최초의 유니콘 기업

2008년 3월 탄생한 리디는 국내 최초 모바일 전자책 플랫폼인 '리디북스'로 유명한 기업이다. 리디북스는 전자책 단말기가 아닌 스마트폰 중심 전자책 사업에 힘을 쏟아 국내 최초 모바일 전자책 플랫폼이라는 타이틀까지 얻었다. 2010년대 후반 들어서는 전자책을 넘어 새로운 대세 웹소설과 웹툰 시장으로 영역을 확장했다. 웹소설과 웹툰은 온라인으로 연재되는 소설과 만화를 의미한다. 종합 콘텐츠 플랫폼으로 거듭나겠다는 의지로 플랫폼 이름도 리디북스에서

---

8) "작년 오프라인 서점 매출 전년 대비 19.5% 증가", 연합뉴스, 2022.12.08
9) 전자책 유통사 매출 4000억…디지털화 가속화하는 출판계 [김동욱의 하이컬처]. 2021.7.5.한경

리디로 변경했다.

리디는 2008년 창사 이래 2022년까지 14년 연속 매출 성장이라는 대기록을 썼다. 10년 전인 2014년 연간 매출은 186억원이었다. 5년이 지난 2019년엔 1000억원의 벽을 깨부쉈다. 그로부터 3년 뒤인 2022년에는 2000억원선까지 넘어섰다. 2023년에는 매출액이 2195억 원으로 전년대비 0.7% 감소했지만 이는 코로나19 특수가 사라지면서 웹소설·웹툰 수요가 전반적으로 감소한 것이 영향을 미쳤다는 분석이다.

리디북스는 지난 10년간 전자책을 시작으로 웹툰 및 웹소설, 애니메이션, 영상 등 콘텐츠 사업 영역을 확장하며 콘텐츠 확보에 전력을 다하고 있다. 또한 웹툰 '품격을 배반한다'가 일본 최대급 웹툰 플랫폼 '메챠코믹'에서 연재와 동시에 주간 종합 랭킹 1위에 올랐으며, 연재 2주 만에 거래액 10억원을 돌파했다.

웹툰 '품격을 배반한다'는 재정난에 빠진 가문의 헌신적인 장녀와 오만한 국왕의 외조카 간의 로맨스를 그린 작품이다. 지난해 리디의 글로벌 웹툰 구독 서비스 '만타(Manta)'에서 연간 인기 순위 2위에 오르는 등 글로벌 로맨스판타지 팬들의 큰 관심을 받고 있는 작품이다.

월정액 도서대여 전자책 서비스 기업

밀리의 서재는 월정액으로 도서를 대여해 읽을 수 있는 전자책 서비스이다. 2023년 7월 기준으로 한국내에서 월정액 도서 서비스 중 최고 수준인 약 14만 권 정도의 책을 읽을 수 있다.[10)]

구독형 독서 플랫폼 시장에서 밀리의서재 시장점유율은 62.9%이며, 2023년 기준 누적 구독자 수는 710만 명을 돌파했다.

밀리의 서재는 전자책 구독 서비스뿐만 아니라 B2B·B2BC·종이책 판매 등 다양한 사업을 중심으로 외형을 확장하며 올해 최대 1분기 실적을 달성했다. 올해 1분기 매출이 전년 동기 대

10) 밀리의 서재, 나무위키

비 31% 증가한 168억원을 기록했다. 같은 기간 영업이익은 29억원으로 전년 동기 대비 42% 증가했다. 이는 안정적인 전자책 정기 구독 매출, B2B·B2BC 사업 확대로 수입원 다각화, 오리지널 IP를 활용한 종이책 판매 등이 영향을 미친 것으로 분석된다.

특히 지난해부터 본격화된 간 거래(B2B) 서비스와 KT, LG유플러스 등 통신사와의 요금제 번들링 상품 출시에 따른 B2BC 매출 증가가 호실적에 반영된 것으로 분석된다.[11)]

한편, 밀리의 서재는 '독서 습관'을 마케팅 키워드로 강조하며 독자들에게 친근하게 다가가기 위한 챗북, 직접 만드는 오디오북 등으로 다양하게 서비스를 제공하고 있다. 밀리의 서재 관계자는 "콘텐츠, 큐레이션, 데이터 제공 등 다른 플랫폼과 차별점을 두려고 한다"며 "꼭 플랫폼 안에서 책을 읽지 않더라도 독자들이 서로 소통을 하면서 앱에 머무르는 것 자체를 즐거워하게 만들 것"이라고 설명했다.

예스24 북클럽, 매출 성장과 함께 새로운 서비스 선보여

2018년 시작한 **예스24의 전자책 구독 서비스 '북클럽'은** 2022년 2분기 기준 매출액 1528억원 영업이익 27억원을 기록했다. 전년 동기 대비 매출액 8%, 영업이익 89% 성장한 기록이다. 예스24의 '북클럽'은 가성비가 좋고, 독서 쿠폰이 제공될 수 있으며, 여러 뷰어에서 접근이 가능하다는 점이 장점으로 꼽힌다.

예스24는 최근 '크레마샵에 놀러오세요'라는 이벤트를 선보였다. 이번 이벤트는 예스24 eBook 구독 서비스 '크레마클럽'의 '77요금제' 신규 및 재가입 회원과 크레마머니 보유 회원을 대상으로 더욱 스마트한 독서 생활을 즐길 수 있도록 돕고자 기획됐다. 77요금제는 첫 달 무료 이용, 크레마샵에서 사용 가능한 독서 지원금 '크레마머니' 지원 등 다양한 혜택을 누릴 수 있는 프리미엄 요금제다.[12)]

---

11) 밀리의서재, 1분기 매출 168억·영업익 29억, ZDNET Korea, 2024.05.13

이밖에도 교보문고의 전자책 구독 서비스 '교보문고 샘'도 현재 20만 7386권의 전자책을 갖췄다. 교보문고는 판타지와 무협 등 인기가 많은 웹 소설 분야 콘텐츠를 대폭 강화하고 있다.

전자책 구독 플랫폼들이 이같이 성장할 수 있었던 이유는 합리적인 가격과 차별화된 콘텐츠를 갖췄기 때문이다. 이와같이 전자책 플랫폼들은 새로 떠오르는 디지털 출판 시장에서 서로 경쟁하며 기존의 종이책과는 다른 재미를 선사하고, 새로운 독자층을 유입시키는데에 주력을 다하고 있다.[13)]

전자책 시장의 성장은 세계적인 추세이기도 하다. 시장 데이터 조사업체 스태티스타(Statista)에 따르면, 세계 전자책 시장의 매출 규모 추이는 2021년 161.1억달러(약 20.9조원)를 기록한 이후 2026년 186.9억달러(약 24.2조원)까지 이르러 연평균 3.0% 성장할 것으로 전망된다.

전자책은 콘텐츠만 있다면 누구나 제작할 수 있고 제작 비용이 저렴하다. 소비자에게는 접근성이 쉽고, 공간 효율성을 제공하며, 가격 대비 효용성이 높다. 아울러 디지털 환경과 인공지능(AI)의 발달로 전자책 제작과 플랫폼은 더욱 비약적인 발전이 예상된다.

하지만 보안 취약성과 저작권 문제가 해결돼야 전자책이 출판 생태계에 온전히 자리 잡을 수 있다는 평가이다.[14)]

나. 디지털 게임

디지털 게임은 온라인, 모바일 게임의 대중화와 코로나19 이후의 변화한 비즈니스 환경의 영향으로 발전해 온 분야이다. 엔터테인먼트 산업적 요소가 강하며, 애니메이션, 영화, 방송, 음악, 캐릭터산업과 같은 주변산업과의 접목이 용이하기에, 최근에는 인기있는 웹툰 원작 IP를 활용하여 게임으로 제작하는 사례도 많아지고 있다.

---

12) 예스24, 크레마샵'크레마샵에 놀러오세요' 이벤트, 유통소비, 2024.04.03
13) 코로나發 집콕에...'전자책 플랫폼' 성장세 쑥쑥. 2021.7.15.이데일리
14) '뜨는' 전자책, '지는' 종이책…출판시장 판도 변화 가속, 하이테크정보, 2024.01.01

게임은 문화적, 산업적, 사회적, 학습적 특징을 동시에 지니고 있다. 특히, 전통적 개념에서는 제외되었던 산업적 특성을 살펴보면 다음과 같다. 게임 산업은 원자재나 대량의 설비투자 없이 기획력과 아이디어로 승부하기에 투입 대비 산출의 비율이 여타 다른 산업보다 월등히 높은 고부가가치 산업이다. 또한, 게임 산업 자체뿐 아니라 만화, 애니메이션, 영화, 방송, 인터넷 및 네트워크, 음악 산업, 캐릭터산업 등과 같은 주변산업과 접목해 부가가치 및 파생상품을 창출할 수 있다는 산업특성도 가지고 있다.

이에 따라 게임 산업은 대표적인 엔터테인먼트 산업으로 구분된다. 이는 게임 산업이 경제성과 상품성의 가치를 창출하는 산업이며, 제조업으로 대변되는 여타의 사업들에 비하여 초기 투자비용 및 가변비용이 상대적으로 적고, 진입 장벽 역시 높지 않기 때문이다. 게임 산업은 기술력의 발달과 함께 게임의 사회적 파급효과가 증대되면서 엔터테인먼트 산업의 중심으로 발돋움 하였다. 게임 산업은 여타의 산업과는 다르게 원자재 가격변동 또는 국제경제의 불안정한 흐름 등에도 큰 영향을 받지 않는다. 뿐만 아니라 언어, 국가 문화 등의 장벽이 낮아 해외 수출시장에서도 경쟁력을 가질 수 있는 산업으로 높은 경제성과 고부가가치를 창출할 수 있다.[15)]

설비투자 등 유형 자산에 대한 투자비중이 높은 전통 제조업에 비해 무형자산의 비중이 높다. 게임 산업은 PC, 서버 등 유형자산보다 게임의 오락성, 캐릭터의 대중성 등 무형의 자산이 산업의 가치를 결정하는 데에 핵심적인 비중을 차지한다. 대표적인 고위험-고수익 산업이며 타 산업과의 연계성이 매우 크다. 게임 산업은 프로그램 개발에 소요되는 연구개발비의 비중은 높고, 하드웨어 제품에 비해 수요의 예측이 어렵다는 점에서 위험이 높다. 반면, 성공적으로 상용화될 경우 적은 추가 비용으로 많은 사용자에게 확산될 수 있어 고수익이 가능하고, 영화나 애니메이션 등 여러 분야로 확장이 가능하다.[16)]

---

15) [시장분석] 게임산업의 특성 및 시장 현황, 미래한국, 2016.12.13.
http://www.futurekorea.co.kr/news/articleView.html?idxno=34980

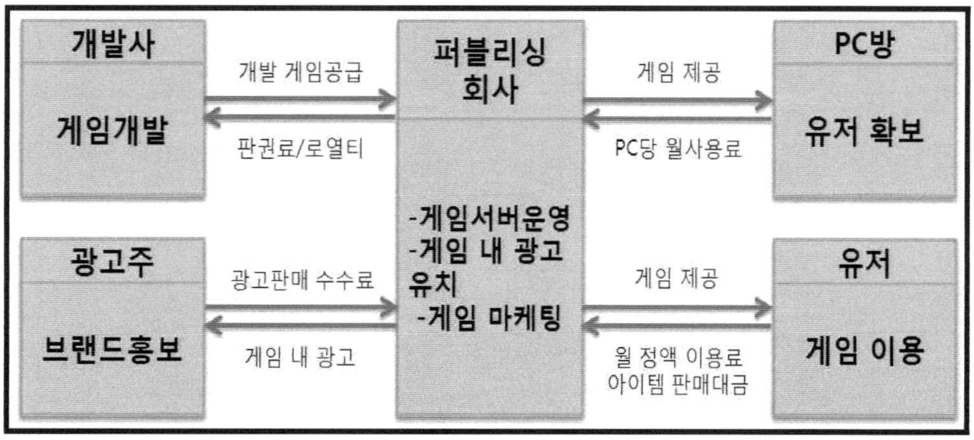

온라인게임 시장의 구조[17)]

온라인게임 시장은 게임을 개발하는 개발사, 게임을 유통하는 퍼블리셔, PC방 사업자, 광고주 등 다양한 이해관계자들이 얽혀 있는 산업구조를 지녔다. 영세한 규모의 중소 개발사들은 게임의 홍보 및 대중화를 위해 대형 퍼블리셔에 의존하는 경향이 있다. 한편 개발사와 퍼블리셔 간 위탁 유통계약이 추상적으로 이루어져 나중에 이익분배 등에 관한 갈등이 빈번하게 발생한다. 일반적으로 온라인게임 구조상에서 게임업체라고 불리는 회사들은 게임 개발사와 퍼블리셔, 두 가지 형태로 구분된다. 게임 개발사는 게임을 기획·개발하며 테스트하는 일을 담당하고 게임 퍼블리셔는 게임을 위한 비즈니스 모델을 수립하고 판매 전략을 비롯한 마케팅의 역할을 수행한다.

한편, 모바일게임은 이동통신 산업의 가치사슬에서 콘텐츠에 해당된다. 모바일게임 자체만의 시장구조를 보면, 콘텐츠제공업자(CP : Contents Provider), 마스터 CP[18)], 이동통신사업자로 구성되어 있다. 최근에는 CP의 세분화 및 통합화 등으로 중간단계 없이 이동통신사업자와의 직접거래가 늘어나고 있다.

---

16) 국내 게임산업 동향 및 발전방안, KDB, 2008.
17) 스트라베이스, 2005
18) 콘텐츠의 실질적인 관리 및 운영을 담당하는 업체

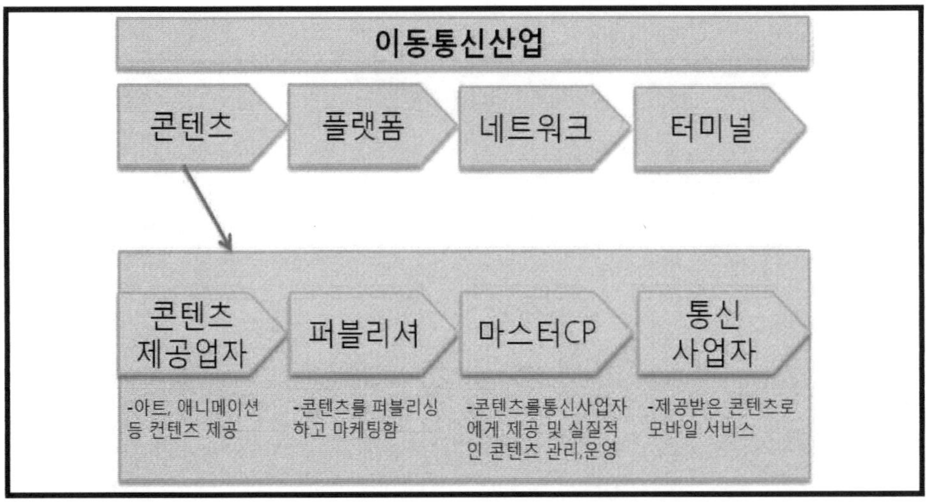

모바일콘텐츠산업의 시장구조

국내 게임시장 현황

"한국 게임시장 10년만에 매출 감소"

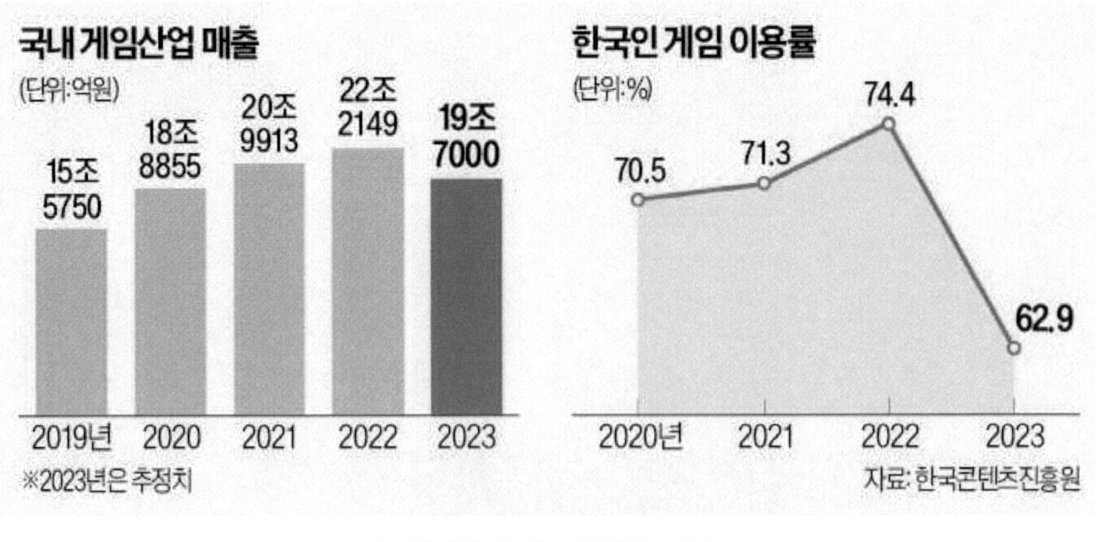

[그림 15] 국내 게임산업 매출

2022년 국내 게임산업 매출은 22조 2,149억 원으로, 게임 시장 규모가 10년 만에 처음으로 하락했다. 지난해 국내 게임산업 매출이 전년 대비 약 11% 감소하면서 20조원 선이 무너진 것으로 추정됐다. 한국인의 게임 이용률도 전년보다 11%포인트 넘게 급감했다.

한국콘텐츠진흥원은 이달 초 발간한 '2023 대한민국 게임백서'를 통해 지난해 국내 게임산업 매출 규모를 19조7000억원으로 추정했다. 전년 매출인 22조2149억원보다 10.9% 줄었다. 매출 감소는 2013년 전년 대비 0.3% 줄어든 이후 10년 만이다.

매출이 줄어든 원인으로 팬데믹(감염병 대유행) 종식으로 인한 재택근무 감소, 금리 인상으로 인한 경기 부진 등을 꼽았다. 온라인동영상서비스(OTT) 등 게임을 대체할 만한 엔터테인먼트 콘텐츠가 늘어난 점도 게임 시장을 위축시킨 요인으로 봤다. 국내 게임 업체의 수출 규모는 2021년 86억7287만달러(약 11조6300억원)에서 2022년 89억8175만달러(약 12조400억원)로 3.6% 느는 데 그쳤다. 전년 증가율인 5.8%에 못 미친다.

게임 시장 위축은 이용자 통계로도 드러난다. 진흥원이 한국인 만 10~65세 1만 명을 대상으로 한 조사에서 한국인의 지난해 게임 이용률은 62.9%였다. 전년(74.4%)보다 11.5%포인트나 줄었다. 이 수치가 70% 밑으로 내려간 건 2019년 이후 4년 만이다. 게임 이용자 중 플랫폼별 게임 이용률은 모바일(84.6%), PC(61.0%), 콘솔(24.1%), 아케이드(11.8%) 순이었다.

[그림 16] 전체 게임 이용률

2022년 PC 게임 시장 규모는 2021년 대비 소폭 증가한 것으로 조사됐다. 2022년 PC 게임 시장 규모는 5조 8,053억 원으로 5조 6,373억 원을 기록했던 2021년과 비교해 3%

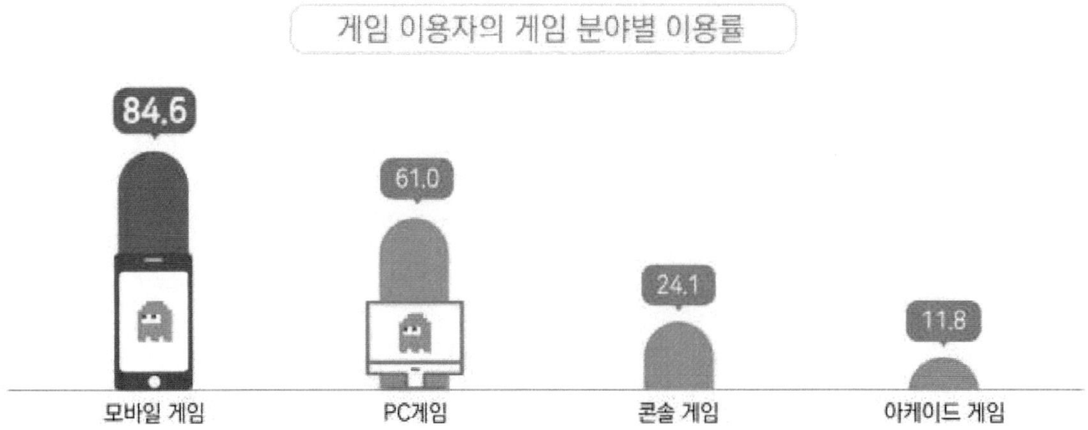

[그림 17] 게임 분야별 이용률

성장한 모습을 보였다. 이는 일부 게임사들의 PC 게임 매출이 증가한 영향으로 분석된다. 대표적으로 스마일게이트의 <로스트아크>, 넥슨의 <메이플스토리>, <던전앤파이터> 등의 매출 증가가 전체 PC 게임 시장 매출을 끌어올린 것으로 분석된다.

모바일 게임은 모바일 데이터 분석 센서타워(Sensor Tower)의 데이터 추정에 따르면 국내 모바일 게임 시장의 매출은 전년 대비 10% 하락하였고, 다운로드 수는 5% 감소하였다. 특히 안드로이드 이용자의 지출은 12% 하락하고 다운로드 수는 8.3% 감소하여 뚜렷한 하락세를 보였다. 2021년은 코로나19의 영향으로 매출이 증가했으나 2022년은 코로나19의 영향이 약화 되면서 매출과 다운로드가 동반 하락한 것으로 추정된다. 한국콘텐츠진흥원이 발표한 <2022 게임이용자 실태조사 보고서>에 따르면 2022년 국내 게임 이용자의 모바일 게임 이용률 및 이용 시간이 감소한 것으로 나타났다. 이용률은 2018년부터 2020년까지 증가세를 보이다 2021년 감소세를 보였으며, 2022년은 가장 크게 감소해 2018년 이후 가장 낮은 이용률로 나타났다.

한국 콘솔 게임 시장 규모는 최근 몇 년간 해마다 큰 폭의 성장을 유지해 왔다. 2021년에는 출시되는 콘솔 게임의 수가 점차 증가하며 소비자가 자신에게 맞는 게임을 선택하기가 어려워진 점과 차세대 콘솔의 공급 부족, 많은 사용자에게 주목받을 수 있는 트리플A급 게임의 발매가 매년 감소하는 현상이 복합적으로 작용해 2021년에는 성장이 주춤한 모습을 보여 -3.7%의 역성장을 하였다. 2022년에는 그해 말 출시된 차세대 콘솔인 <엑스박스> 시리즈 X/S 및 <플레이스테이션 5>로 기존보다 퀄리티 높은 게임들이 본격적인 선을 보였다. 또한 코로나19 여파로 인해 GPU로 대표되는 PC 하드웨어 공급의 원활하지 못한 상황이 PC 게임의 접근성을 떨어뜨리며 콘솔이 대안으로 제시되면서 뜻밖의 성장 동력을 얻은 결과, 콘솔 역시 코로나19에 따른 반도체 공급 부족 상황의 영향을 받아 물량 부족이 몇 년째 지속된 상황에서도 시장이 소폭 성장하게 되었다. 그 결과로 1조 원 이상의 규모를 유지하며 2021년 대비 6.4% 성장하였다.

또한 2022년 국내 아케이드 게임시장은 약 2,976억 원 규모로 조사되었다. 2021년 약 2,733억 원 규모에 비해 약 8.9% 증가한 수치이다. 표면적으로는 성장한 것으로 보이지만 실제로는 2020년 초에 시작된 코로나 팬데믹으로 급격히 저하된 규모가 2021년을 기점으로 서서히 회복세를 보이고 있다는 표현이 좀 더 정확하다.

2024 1월 인기게임 1위 '브롤스타즈'

2024년 1월 월간 인기 게임 순위를 살펴보면 사용자 수가 가장 많았던 작품은 '브롤스타즈'이다. '브롤스타즈'는 슈퍼셀의 모바일 슈팅 게임이다. 2017년 6월부터 1년 6개월 동안 베타 테스트를 거치며 2018년 12월 정식 출시되었다.

모바일 환경에 슈팅 게임과 AOS의 묘미를 라이트하게 잘 이식했다는 평가를 받고 있으며, 슈퍼셀이 출시한 게임 중 출시 직후부터 지금까지 가장 선전하고 있다. 또한 아기자기한 캐릭터와 배경 디자인이 이 게임의 또다른 특징으로, 저연령층의 인기가 특히 높은 편이다.

3대3 PvP 팀전이 기본적이나, 배틀로얄, PvE, 레이드, 맵 메이커 등의 다양한 모드 및 컨텐츠도 지원하고 있다.

2024년 1월 인기게임 2위 '로블록스'

'로블록스'는 2004년 Roblox Corporation에서 제작한 메타버스 게임 플랫폼이다.

카카오게임즈 '오딘: 발할라 라이징'

Royal Match는 2021년 2월 25일에 출시된 캐주얼 무료 플레이 타일 매칭 비디오 게임이다. 2019년에 설립된 터키 회사 Dream Games에서 개발 및 출시했다. 같은 아이콘 3개 이상을 맞춰 없애는 매치3 방식의 퍼즐 게임이다. 한 게임 당 블럭의 이동 횟수는 제한되어 있고 그 횟수 안으로 조건을 만족시켜 게임을 클리어하는 방식이다.

한편, RPG(역할수행게임)이 2021년까지 꾸준한 인기를 끌어왔다. 캐릭터 성장과 경쟁이란 장르 핵심 요소에 더해 신종 코로나바이러스 감염증(코로나19) 사태로 오프라인에서 단절된 이들을 온라인 교류의 장으로 이끌어 낸 기능도 담당한 것으로 풀이된다.[19]

하지만 모바일게임 시장에서 롤플레잉 분야는 2021년에 약 260억달러로 최고치에 도달한 뒤 이후 꾸준히 감소해 2019년의 수준으로 되돌아 가고 플레이가 단순한 퍼즐 장르와 주사위를 굴리는 보드 게임은 대폭 성장한 것으로 분석됐다.

이는 롤플레잉 장르가 주를 이루는 국내의 모바일게임 시장이 중국산 캐주얼게임에게 매출 상위권을 빼앗기고 있는 추세와 맞물리는 결과로 보인다. 최근 모바일게임 이용자들의 플레이 트렌드가 세계적으로 변화되고 있음을 실제 데이터로 밝혀진 셈이다.

19) "우울한 코로나지만, 게임이 있어 괜찮아". 2021.8.1.MoneyS

이에 비해 '로얄 매치' 등 퍼즐 장르는 2022년에 비해 10% 증가한 100억달러를 기록했다. '캔디 크러쉬 사가' 등으로 대표되는 3매치 분야는 2023년 수익이 전년대비 13%가 올라 64억달러로 기록됐다. 또 '로얄 매치'는 '캔디 크러쉬 사가'의 수익을 넘은 것으로 나타나 눈길을 끌고 있다. '로얄 매치'는 2023년 12월까지 누적 매출이 20억달러에 근접한 것으로 집계됐다.[20)]

한편, 국내 게임사들은 지식재산권(IP)를 활용해 웹툰·웹소설·드라마·영화 등 다양한 콘텐츠로의 확장을 꾀하고 있다. 업계에 따르면 IP 확장에 가장 적극적인 게임사는 크래프톤이다.

2021년 크래프톤은 '배틀그라운드' IP기반 웹툰 3종을 네이버웹툰에서 공개했다. '100'은 생존 확률 1%의 배틀로얄에 참여한 국정원 요원의 이야기를, '침묵의 밤'은 아버지의 갑작스러운 죽음에 관한 비밀을 파헤치는 여주인공의 이야기를, '리트리츠'는 암울한 미래 속 계획 도시에서 벌어지는 사건을 다뤘다. 또한 2022년에는 이 웹툰 3종을 인도 시장에 론칭했다.[21)] 크래프톤은 할리우드의 제작자 아디 샨카를 애니메이션 총괄 크리에이티브 프로듀서로 임명하며 IP 확장에 공을 들여왔다.

올해 크래프톤은 e스포츠 대회 강화를 통한 '배틀그라운드' IP의 글로벌 확정에 나선다. 업계에 따르면 크래프톤은 'e스포츠 차트(ESPORTS CHARTS)'와 파트너십을 체결했다. e스포츠 차트는 라이브스트리밍 시청률 분석의 선두 첩체로, 글로벌 e스포츠 대회 및 뷰어십에 대한 포괄적인 데이터와 분석을 제공하는 기업이다. e스포츠 차트는 이 외에도 콘서트, 스포츠 및 엔터테인먼트를 포함한 기타 라이브 이벤트에 대한 통계도 제공하고 있다.

크래프톤이 e스포츠 차트와의 협업에 나선 이유는 보다 확장된 서비스를 통해 배틀그라운드 e스포츠 대회의 뷰어십을 끌어올리기 위함으로 풀이된다.

현재 e스포츠 영역에서 '리그 오브 레전드'가 압도적인 뷰어십을 기록하며 '1황' 자리를 차지

---

20) 모바일게임 RPG 장르 10% 하락...보드게임은 18% 성장세, THEELEC, 2024.03.07
21) 크래프톤, '배틀그라운드' 웹툰 3종 인도 시장에 출시, 글로벌이코노믹, 2022.04.20

하고 있는 가운데, 크래프톤이 배틀그라운드 대회를 통해 글로벌 시청자를 사로잡을 수 있을지 기대된다.[22)]

2021년에는 배우 마동석을 주인공으로 한 단편영화 '그라운드 제로'와 배틀그라운드의 탄생 비화를 담은 다큐멘터리 '미스터리 언노운'을 공개했다.

NEXON

넥슨은 2021년 월트 디즈니 출신의 엔터테인먼트 업계 전문가 닉 반 다이크를 수석 부사장 겸 CSO(최고전략책임자)로 선임했다. 닉 반 다이크는 월트 디즈니와 액티비전 블리자드 스튜디오에서 필름 & 텔레비전 부문을 설립해 '워크래프트' 영화화와 '스카이랜더스' 드라마화를 추진한 바 있는 인물이다. 넥슨은 닉 반 다이크를 영입하며 미국 할리우드에 넥슨 필름 & 텔레비전을 신설했다.[23)] 특히 닉 반 다이크 부사장 선임과 함께 미국 LA에 '넥슨 필름&텔레비전'을 설립하겠다는 계획을 밝히면서 화제가 됐다. 해당 조직은 ▲던전앤파이터 ▲바람의나라 ▲카트라이더 ▲엠바크 스튜디오 개발 신작 등 넥슨의 글로벌 IP의 가치 확장에 주력한다는 계획이었다.

최근 넥슨게임즈는 모바일 서브컬처 게임 '블루 아카이브'를 원작으로 하는 TV 애니메이션이 한국과 일본에서 첫 방영을 시작했다. 국내 개발진이 제작, 서브컬처 본산이라 불리는 일본 게임 시장에서 기념비적인 흥행 기록을 세운 가운데 애니메이션화를 통해 기존 팬덤 만족도를

22) 크래프톤, 'e스포츠 차트'와 파트너십,'배그'대회 강화 드라이브, 1코노미뉴스, 2024.06.05
23) 영화 만드는 게임회사들…디즈니 꿈꾼다. 2021.7.30. JTBC뉴스

높이고 유저층 확장에 나설 전망이다. 한국산 서브컬처 지식재산(IP) 글로벌 미디어믹스 확대에도 속도가 붙을 것으로 기대된다.[24)]

또한 넥슨이 '카페 메이플스토리' 상표권을 출원했다. 앞서 제주도에 '메이플스토리 상설 카페'를 오픈하겠다는 계획을 밝힌 만큼, 이에 대한 사전 준비에 나선 것으로 풀이된다. 상설 카페는 카페와 굿즈샵이 혼합된 형태로 오픈 될 예정인데 이는 메이플스토리 IP의 영향력을 확장하기 위함으로 풀이된다.[25)]

'쿠키런'이라는 지적재산(IP)을 보유한 게임사 데브시스터즈가 애니메이션 시리즈 제작에 나섰다. IP를 활용한 애니메이션 제작은 게임업계에서도 드문 사례라는 점에서 새로운 캐시카우로 주목받고 있다.

관련 업계에 따르면 데브시스터즈는 쿠키런 IP를 기반으로 한 3D 애니메이션 시리즈를 제작해 올해 안에 국내외 배급할 방침이다. 쿠키런 IP는 다양한 연령층으로부터 관심을 받아왔는데 이번 애니메이션 시리즈는 아동들을 타깃으로 할 것으로 보인다. 데브시스터즈가 애니메이션으로 영역을 확대하기로 한 것은 '쿠키런' 인기가 확고해지면서 애니메이션으로도 승산이 있다고 판단했기 때문으로 풀이된다. 게임 IP를 애니메이션으로 제작하기 위해선 인기 기반이 필수적인데 데브시스터즈는 그간 확장해둔 라이선싱으로 기반을 다져왔다. IP에 대한 팬덤이 강화될 경우 탄탄한 매출 기반이 되고 추가 창작물을 통한 질적 성장으로도 연결되는 선순환이 가능하다.[26)]

최근 주요 게임사들이 플랫폼을 확장하고 기존 지식재산권(IP)을 활용하면서 게임 흥행을 위

24) 넥슨 '블루 아카이브 더 애니메이션' 韓·日 방영, IT조선, 2024.04.08
25) 넥슨, '카페 메이플스토리' 상표권 등록... IP영향력 확장, 1코노미뉴스, 2024.06.04
26) 쿠키런 애니메이션 나온다… 게임 IP 무한확장시대, 아시아경제, 2024.01.29

한 다양한 출구전략을 제시하는 모습도 관측된다. 자체 개발한 신작을 출시하는 '원 패턴'에서 벗어나, 유명 IP를 활용하고 플랫폼을 확장하며 유관 분야와 컬래버레이션을 시도하는 등 흥행을 위한 노력을 이어가고 있다.

유명 IP를 활용한 개발 사례가 빈번하게 목격된다. 엔씨소프트는 대표 IP '리니지'를 활용한 키우기 게임을 개발해 실적 개선에 나설 것으로 알려졌다. 지난 4월과 5월에는 컴투스가 오락실 세대의 명작 '스트라이커즈 1945'를 기반으로 한 방치형 슈팅 게임 '전투기 키우기: 스트라이커즈 1945'를 국내와 글로벌에 각각 출시했다. 유명 IP를 기반으로 한 게임은 IP홀더에게 수수료를 지급하기 때문에 자체 개발 IP보다 상대적으로 수익률이 낮다는 단점이 있지만, 높은 인지도를 바탕으로 초반 흥행을 어느 정도 담보할 수 있다는 장점이 있다. 기성 IP 기반 게임 개발을 활발히 진행 중인 넷마블은 메가 히트 IP '나 혼자만 레벨업'을 게임으로 개발해 성공적으로 실적 상승을 견인 중이다.

이종산업 간 컬래버레이션으로 화제성을 높이는 작업도 이어진다. 독보적인 성장세로 투자업계가 주목하고 있는 크래프톤은 '배틀그라운드' IP와 걸그룹 뉴진스 간 대규모 컬래버레이션을 예고해 관심을 모았다. 하이브IM '별이되어라2: 베다의 기사들'은 CU, 빽다방 등과 제휴를 맺고 컬래버 메뉴를 오프라인에서 선보이기도 했다.

서비스 플랫폼 확대를 통해 IP 도달 범위 확장 작업도 진행된다. 출시 단계부터 멀티 플랫폼을 지원하는 게임도 있지만 디바이스에 따른 순차 이식으로 외연을 확대하기도 한다. 지난해 PC와 닌텐도 스위치 버전으로 출시된 민트로켓 '데이브 더 다이버'는 지난 4월 플레이스테이션용으로 새롭게 선보였다.

또 20년 이상 서비스된 NHN '한게임포커'는 국내 메이저 웹보드게임 시장에서 처음으로 맥

OS를 지원하게 됐다. PC와 플레이스테이션4, 엑스박스 등 콘솔로 서비스 되며 누적 판매 200만장을 돌파한 네오위즈 '스컬'은 모바일용으로 재탄생 했다.

출시 직후 컬래버를 진행해 주목도를 한층 높이는 작업도 눈에 띈다. 카카오게임즈는 '그랑사가 키우기: 나이츠x나이츠'를 출시한 직후 누적 발행 부수 2000만부를 자랑하는 애니메이션 IP '장송의 프리렌'과 컬래버를 발표해 관심을 모았다. '장송의 프리렌'은 이세계물이 일종의 트렌드로 자리한 가운데 정통 판타지를 계승한 수작이라는 평가를 받는다.

카카오게임즈 관계자는 "글로벌 시장 저변 확대가 연간 목표인 만큼 해외 이용자들에게 소구되는 IP들을 컬래버 진행 후보들로 고려해왔다"고 했다. 카카오게임즈는 올해 '비욘드 코리아' 전략에 방점을 찍고 글로벌 시장 공략에 주력하고 있다.[27]

다. 디지털 만화(웹툰)

디지털 만화 또는 전자 만화는 인쇄물과는 다르게 디지털로 발간되는 만화이다. 디지털 만화는 모바일 만화 형식을 가지고 있다. 웹 만화는 디지털 만화의 범주에 들어가며, 대한민국에서는 '웹툰'이라는 독자적인 형식의 웹 만화가 존재한다.

국내 웹툰의 역사를 거슬러 올라가보면, 초창기의 웹툰은 고유한 인터넷상의 인터페이스 모델링으로, 원작과 동일한 모습의 단순 스캔형식이었다. 가로의 구독포맷을 지니며, 인쇄만화의 펼치면 방식을 재현한다. 또한 포털사이트 자체뷰어로 서비스한다. 0세대의 기능은 자동넘김

27) 플랫폼 확장·이종산업 결합·기성 IP 활용...게임업계 흥행 전략은 다변화 중, TECH G, 2024.06.06

과, 초당 넘김의 두 가지 단순 기능만을 지녔다.

점점 발전하고 있는 국내 웹툰,
1세대부터 3세대까지

1세대의 웹툰은 기존의 0세대 만화에 플래시 효과를 삽입하였다. 애니메이션 효과가 삽입되어 0세대의 단순, 반복적인 클릭행위에 이벤트를 부여하여 긴장감을 고조시켰다. 또 다른 변형 발전된 모습으로, 1.15세대의 디지털 만화를 예로 들 수 있는데, 칸 구분 효과를 보이며, 한 칸 한 칸 씩 나열된 만화형식을 보여주었다. 이는 한 칸식 칸 위주로 나열시키며, 단순한 플래시 기능과, 자체 편집기능인 Zoom-in, Zoom-out을 통해 칸의 긴장감과 시간적 흐름을 보여주었다.

2세대의 웹툰은 온라인 플랫폼에 맞도록 처음 기획부터 디지털화되었다. 즉 우리가 알고 있는 현재의 웹툰 형식이다. 스크롤 방식의 전제하에 새로운 포맷으로 기획하는 만화의 형식으로, 스크롤 방식의 만화는 시간의 흐름을 이용할 수 있기 때문에 영화적 표현이 가능하며, 페이드 인,아웃과 같은 효과를 극적으로 사용할 수 있다는 장점이 있다.

이러한 스크롤 방식의 읽기가 가능해진 것은 픽셀 업데이트, 바로 리프레시 타임의 시술 발전에 기반한다. 1990년대까지만 하더라도 초창기 LCD는 리프레시 타임이 너무 느려 동영상을 보기 어려울 정도였다. 리프레시 타임은 실시간 업데이트 되는 시간으로, 화면이 최소한 1초에 15-30회 이상 리프레시되어야 한다. 그래야만 인간의 영상 인식이 불연속적인 장면을 연속적인 것으로 자연스럽게 인식할 수 있다. 이 기술은 잔상효과를 극대화시켜 마치 연속된 장면을 보는 것처럼 느끼게 하는 것인데 두루마리 형식의 읽기에서 이 기술력은 작가의 의도를 잘 표현하여 독자의 감정을 이끌어 낼 수 있는 기반을 마련해준다. 스크롤링에 따라 실시간으로 그림이 리프레시되어야 작가의 의도대로 웹 만화 속에 감정이 묻어날 수 있기 때문이다.

2000년대 들어서서 리프레시 타임은 빨라졌고, 이를 기반으로 비로소 장편 웹 만화가 창작될 수 있었던 것이다. 또한 2000년대에 들어서면서 긴 호흡을 가지고 연재하는 장편 서사의 웹 만화가 출현할 수 있게 된것이다. 초창기에는 단지 세로 포맷의 1-4칸의 스크롤 만화였지만, 2004년 강풀은 미디어 다음에 <순정만화>를 발표해 세로 스크롤 만화에 새로운 혁신을 불러 일으켰다. 6페이지를 기본으로 많을 경우 20페이지에 가까운 분량의 스크롤 되었다.

3세대의 웹툰은 책의 이동성을 고려한 E-book(전자책), 모바일 네트워킹을 지니는 스마트폰과 태블릿 PC의 등장으로 인터넷 환경은 무선 모바일로 전향중인 추세이다. E 잉크를 사용하는 E-book은 흑백으로서 배터리의 시간이 길다는 장점과 장시간 사용해도 눈의 피로감이 적다는 장점이 있으며, LED, LCD를 사용하는 태블릿 PC, 스마트폰은 무선 모바일 인터넷이 가능하며 언제 어디서나 온라인 만화를 볼 수 있다는 장점을 지닌다.[28]

OSMU로 뻗어나가는 웹툰의 가치사슬

만화의 가치사슬은 크게 출판 시장인 1차시장, 콘텐츠 서비스 및 상품시장인 2차, 3차 시장으로 분류된다. 웹툰의 등장은 이러한 만화의 가치사슬, 특히 1차 시장에 변화를 가져왔다.

출판 시장(1차 시장)은 만화콘텐츠가 제작되어 가장 먼저 유통되는 시장이며 대부분의 경우 이 시장에서 형성된 만화 콘텐츠의 지명도나 인기를 기반으로 타 장르의 문화콘텐츠로 재활용된다. 그러나 웹툰(webtoon)의 등장으로 디지털만화나 모바일 만화가 기존의 만화 1차 유통 시장인 출판만화와 동시에 제공되는 사례가 증가하고 있으며 오히려 최근에는 만화 콘텐츠의 새로운 1차 유통 시장으로도 주목을 받고 있다.

만화콘텐츠의 또 다른 유통 방식으로는 극장용, TV 애니메이션, 광고 등 영상물에 활용되는 사례가 있다. 영상물로 제작된 만화는 TV, 극장 등의 매체를 통해 해당 콘텐츠에 대한 인지도를 확대하고 이러한 매스미디어의 힘을 빌어 만화 등장인물의 캐릭터 이미지를 상품에 적용하여 소비자의 제품에 대한 구매 의욕을 높이는 역할을 한다.

28) 『디지털 플랫폼에 따른 맞춤만화 모델링 연구』 한창완, 이승진 저

이러한 과정을 통해 만화콘텐츠는 더 큰 부가가치를 창출하는 '캐릭터상품화(머천다이징)' 시장으로 만화콘텐츠 활용 범위를 넓혀나갈 수 있는 입지를 구축하게 된다. 이렇게 1차 시장에서 생성된 원작이 2차, 3차 시장으로 활용된다. 캐릭터 상품화(머천다이징)시장은 만화 주인공들의 이미지를 완구, 게임, 의류, 식품, 가구, 침구, 문구와 같은 다양한 상품에 적용하고 이들 캐릭터의 인지도와 인기를 기반으로 "상품 판매량 확대"라는 시너지 효과를 창출하는 것을 목적으로 한다. 인기 캐릭터 상품의 경우, 전통적인 만화 시장인 출판만화 시장이나 뉴미디어 만화 시장, 영상물 시장의 매출을 능가하는 막대한 경제적 효과를 얻을 수 있다.

위와 같은 2차 3차 시장으로의 진출은 만화콘텐츠의 One Source Multi Use(OSMU)적 성격을 보여주며, 웹툰 또한 전통적인 만화 못지 않게 영화, 게임, 애니메이션, 연극, 뮤지컬 등의 다양한 장르에 원작으로 쓰이고 있다.[29][30]

'웹툰'이라는 단어가 2000년 처음 언론에서 사용된 것으로 미루어봤을 때 굉장히 빠른 시간 내에 각종 콘텐츠의 원천으로 자리 잡은 것을 확인할 수 있다. 그 이유 중 하나는 광범위한 독자층 덕분이다. 기존 만화나 소설은 독자층이 협소한 반면, 웹툰은 시간과 장소에 구애받지 않는 특징을 지닌 인터넷을 매개체로 하기 때문에 다른 콘텐츠들보다 파급력 면에서 우수하다. 많은 사용자들이 PC 인터넷의 첫 화면을 포털로 설정하고, 모바일에서도 네이버나 다음의 애플리케이션을 주로 찾다보니 접근성 차원에서 독자들과 만나기 쉽기 때문이다. 대표적인 사례로 웹툰 <은밀하게 위대하게>는 영화로 제작되어 흥행에 성공했다.

웹툰원작 영화 <은밀하게 위대하게>

한편, 기존에는 기승전결이 뚜렷해 스토리성이 강한 웹툰들이 영화나 드라마화 되었다면, 판타지·액션·뱀파이어 등 다양한 장르의 웹툰이 등장하면서 모바일 게임화되는 사례가 증가하였다. 네이버의 지원을 받고 게임화 된 <갓오브하이스쿨>을 비롯해 <소녀더와일즈>, <신의탑> 모두 모험 액션 장르로 분류된다.

웹툰은 이미 한 번 흥행성이 검증됐다는 점에서 다른 장르로 적용하기 좋은 소재다. 뿐만아니라 제약이 존재할 수 있는 현실적 배경에서 출발한 콘텐츠가 아닌 백지 위에서 무궁무진한

29) 스트라베이스, 《2009 해외 콘텐츠 시장 조사(만화)》, 한국 콘텐츠 진흥원, 2010, pp.18-19
30) 웹툰, 2021.7.13 최종수정, 위키백과

상상의 나래를 펼쳐지는 장르이기에 기성 방송에서는 볼 수 없는 신선한 소재가 발굴될 수 있다는 점과 제2의 창작이 필요한 소설과는 달리, 이미 만화라는 완성된 이미지가 있어 비교적 쉽게 영상화할 수 있는 면을 강점이라고 할 수 있다.

웹툰원작 드라마 <치즈인더트랩>

한편, 웹툰 원작 드라마로는 대표적으로 '치즈인더트랩'을 꼽을 수 있다. 웹툰 치즈인더트랩은 캠퍼스물로, 겉과 속이 다른 남자주인공과 그것을 알아차린 여자주인공 사이의 미묘한 신경전과 심리묘사를 담은 스토리로 기존의 로맨스물 웹툰과는 차별점을 둔 작품이다. 원작의 스토리라인이 탄탄하다보니 대중들의 사랑을 많이 받았는데, 이로 인해 드라마 캐스팅부터 많은 화제가 되었다.

웹툰 원작 드라마 <이태원 클라쓰>

2020년 1월 31일부터 2020년 3월 21일까지 방영된 <이태원 클라쓰>는, 카카오페이지와 다음 웹툰에서 연재되던 조광진의 만화 <이태원 클라쓰>가 원작으로, 대중성과 작품성 모두 좋은 평가를 받았으며, 젊은층과 중장년층 모든 연령대의 호평을 받았다. 해외 수출까지 성공적으로 이루어졌다는 평가를 받았다.

웹툰 원작 드라마 <여신강림>

여신강림(女神降臨)은 2020년 12월 9일부터 2021년 2월 4일까지 방송된 tvN 수목 드라마로 웹툰을 원작으로 했다. 외모 콤플렉스를 가지고 있었지만 메이크업을 통해 여신이 된 '주경'과 남모를 상처를 간직한 '수호'가 만나 서로의 비밀을 공유하며 아픔을 딛고 함께 성장해 나가는 자신감 회복 로맨스 코미디 드라마다.

드라마를 웹툰으로 <쌈마이웨이>

한편, 2017년 종영한 KBS2 '쌈, 마이웨이'가 4년 만에 웹툰으로 제작된다는 소식이 알려졌다. 수년 전부터 웹툰이 드라마나 영상으로 제작되는 사례는 많았으나 영상화가 된 작품이 웹툰으로 다시 만들어지는 경우는 '쌈, 마이웨이'가 이례적이다.[31] '쌈, 마이웨이' 는 2021년 12월부터 네이버 시리즈에서 연재되었다.

웹툰 원작 드라마 <타인은 지옥이다>

웹툰 원작 드라마 <타인은 지옥이다>는 서울의 어느 고시원에서 벌어지는 살인사건의 전말을 속을 알 수 없는 '타인'이라는 설정으로, 미묘한 심리전과 긴장감으로 풀어낸 스토리다. 캐스팅부터 스토리 전개까지 웹툰을 잘 옮겼다는 평이 많았던 작품이다.

웹툰 원작 넷플릭스 드라마 <스위트홈>

한편, 웹툰 원작 스위트홈은 2020년 12월 넷플릭스를 통해 공개된 드라마로, 은둔형 외톨이

31) "드라마를 웹툰으로"…모바일 겨냥한 원소스 멀티유즈의 변주.2021.5.28.데일리안

고등학생 현수가 가족을 잃고 이사 간 아파트에서 겪는 기괴하고도 충격적인 이야기를 다뤘다. 원작 웹툰은 9개 언어로 전 세계에 서비스되며 글로벌 누적 조회 수 12억 건을 돌파했으며, 이 같은 인기에 힘입어 드라마 역시 공개 4일 만에 13개국에서 넷플릭스 차트 1위에 올랐고, 첫 4주 동안 전 세계 2200만 유료 구독 가구가 시청한 것으로 집계됐다.

웹툰 원작 넷플릭스 영화 <승리호>

2021년 2월 넷플릭스에서 개봉한 영화 '승리호' 역시 개봉 하루 만에 인기 차트 세계 1위를 석권했다. 승리호는 영화 시나리오를 출발점으로 웹툰과 동시에 제작된 콘텐츠로, 작품 제작 초기부터 동반발전방식의 OSMU를 염두에 두고 접근해 성공을 거둔 사례로 꼽힌다.

웹툰 원작 <머니게임>

한편, 지난해 온라인 동영상 스트리밍(OTT) 서비스 넷플릭스에서 공개된 오리지널(독점 제공) 한국 드라마 14편 중 절반이 네이버웹툰 원작인 것으로 나타났다. 아울러 해당 작품들은 모두 넷플릭스 글로벌 TV쇼(비영어권) 상위 10위권에 들었다. 올해도 네이버웹툰은 웹툰·웹소설 원작의 2차 콘텐츠 제작 등 지식재산권(IP) 사업을 활발히 추진한다.

업계에 따르면 올 상반기 기준 네이버웹툰을 통해 연재 및 서비스된 IP를 기반으로 만들어진 드라마, 영화 등 영상 콘텐츠는 16개 작품으로 집계됐다. 올해 하반기 예정작으로 외부에 확정 공개된 IP는 10개지만, 이 밖에 다양한 핵심 IP가 영상화 제작을 앞두고 있어 더 많은 영상 콘텐츠를 선보이게 될 예정이다. 네이버웹툰 IP 기반으로 영상화된 작품의 수는 2022년 25개, 2023년 29개로 점차 늘어나고 있다.

32)

업계에 따르면 지난해 넷플릭스 오리지널 한국 드라마는 14편이 공개됐다. 이중 네이버웹툰을 원작으로 한 콘텐츠는 '택배기사', '사냥개들', 'D.P.2', '마스크걸', '이두나!', '정신병동에도 아침이 와요', '스위트홈2' 등 7편이었다.

외모 콤플렉스를 가진 평범한 직장인 김모미가 밤마다 마스크로 얼굴을 가린 채 인터넷 방송 스트리머(BJ)로 활동하면서 의도치 않은 사건에 휘말리며 벌어지는 이야기의 '마스크걸'은 지난해 하반기 기준 1800만 시청 수(시청 시간을 재생 시간으로 나눈 값)를 기록했다. 평범한 대학생 이원준이 화려한 케이팝(K-POP) 아이돌 시절을 뒤로 하고 은퇴한 이두나를 만나게 되며 벌어지는 이야기의 로맨스 드라마 '이두나!'가 1270만 시청수로 뒤를 이었다.

사채업의 세계에 휘말린 두 청년이 거대한 악의 세력에 맞서 목숨 걸고 싸우는 이야기를 그린 '사냥개들'도 시청수 1200만을 기록하며 글로벌 프로그램 기준 100위권에 들었다. '사냥개들'은 네이버웹툰 영상 자회사 스튜디오N이 제작했다. 이밖에 지난해 말 두 번째 시즌을 공개한 '스위트홈'은 시즌1과 2를 합산한 시청 수 1700만을 기록한 것으로 집계됐다.

올해 상반기에도 네이버웹툰 원작의 넷플릭스 오리지널 콘텐츠가 주목을 받고 있다. 우연히 살인을 시작하게 된 평범한 남자와 그를 지독하게 쫓는 형사의 이야기를 그린 '살인자ㅇ난감', 의문의 기계에 들어갔다가 닭강정으로 변한 딸을 되돌리기 위한 아빠 최선만과 그녀를 사랑하는 고백중의 이야기를 그린 코믹 미스터리 추적극 '닭강정' 등이 공개된 바 있다.

가장 최근인 이달 중순 공개된 '더에이트쇼'(The 8 Show)는 지난 20~26일 기준으로 시청 수 480만을 기록하며 넷플릭스 비영어권 TV 시리즈 부문 1위에 올랐다. '더에이트쇼'는 8명의 인물이 8층으로 나뉜 공간에 갇혀 시간이 지날수록 돈을 버는 쇼에 참가하며 벌어지는 이야기를 다룬다.[33]

웹툰을 유튜브 콘텐츠로 제작한 사례도 있다. 웹툰 <머니게임>은 배진수 작가의 작품으로, 100일동안 밀실에서 여러 사람들이 게임의 룰을 이용해 머니게임을 진행하고, 총 상금 448억을 쟁취한다는 스토리다. 이 웹툰은 다양한 사상과 비판점을 내포하고 있다는 점에서 대중들

32) 글로벌 흥행작 알고보니 '웹툰 원작'… 네카오 IP사업 힘준다, 파이낸셜뉴스, 2024.06.03
33) "지난해 넷플릭스 오리지널 한국 드라마 절반은 네이버웹툰 원작", 아이뉴스24, 2024.06.01

에게 인기를 끌었다. 돈 앞에 타락하는 인간성과 사회적 사상의 폐해를 꼬집고 있다.

유튜브 콘텐츠 <머니게임>

이를 유튜브 콘텐츠로 제작한 <머니게임>은 200만 이상의 구독자를 보유하고 있는 진용진 채널에서 제작되었다. 웹툰 원작의 룰을 그대로 적용하고, 총 8명의 출연자를 섭외하여 머니게임을 실제로 재현했는데, 젊은 층 사이에서 큰 이슈가 되었다. 결과적으로 원작의 의미와 동떨어진 '감정싸움'이 되었다는 평이 많아 출연자들 사이에서도 논란이 많이 생겼다. 그러나

웹툰을 유튜브 콘텐츠로 실사화했던 사례가 처음이었으므로 콘텐츠 기획 사례로는 충분히 의미있는 도전이었다는 평도 있었다.

올 5월, <머니게임>은 <파이게임>과 함께 넷플릭스의 '더 에이트 쇼'라는 드라마로 제작되기도 했다. 드라마 공개 직후 10일 만에 두 웹툰의 국내 조회수는 각각 31.1배, 11.7배 늘었고 거래액은 16.1배, 18.5배 폭증했다. 완결된 지 3~4년이 지났지만 드라마 시청자가 재유입되며 IP 선순환 구조를 만든 것이다. 웹툰 '살인자ㅇ난감'은 넷플릭스 드라마 공개 후 일본에서 조회수와 거래액이 29.4배, 5.7배 늘어 해외 매출까지 견인해 내고 있다.[34]

최근에는 네이버웹툰이 인공지능(AI)을 토대로 웹툰 속 캐릭터와 실시간 채팅을 주고받을 수 있는 웹페이지인 '캐릭터챗'을 출시한다고 밝혔다. 웹툰·웹소설·코믹(만화) 플랫폼사가 직접 소비자를 상대로 AI 챗봇을 내놓는 것은 전 세계적으로 이례적이다. 웹툰 플랫폼사가 보유한 지식재산권(IP)을 기술과 연계해, 소비자 만족도를 높이고 생태계를 확대하는 포석으로 보인다.
이번 AI챗봇은 웹툰 캐릭터를 빼닮은 것이 특징이다. 사용자가 궁금한 것을 물어보면, 주인공 말투를 흉내 내 답변한다. 마치 살아있는 주인공과 대화를 나누는 경험을 줄 것으로 보인다. 캐릭터챗은 대규모언어모델(LLM)을 기반으로 한다. 다만 해당 챗봇이 네이버가 직접 개발

34) '결국은 콘텐츠' 네이버·카카오의 신흥 노다지는 IP, 브릿지경제, 2024.06.08

한 대규모 언어 모델인 하이퍼클로바X를 기반으로 한 것인지는 알려지지 않았다. 현재 네이버 웹툰은 막바지 개발 작업을 진중인 것으로 알려졌다. 또 베타 서비스를 출시한 뒤 사용자 피드백을 받아 지속 업데이트할 방침이다.35)

국내 문화콘텐츠 업계의 가장 중요한 이슈는 바로 'IP전쟁'이다. 최근 많은 플랫폼들이 IP 기반 콘텐츠 확보에 열을 올리고 있다. 특히 네이버와 카카오의 행보에 주목할 필요가 있다. 이들은 기존 웹툰 유통 플랫폼에서 벗어나 원천 IP 발굴에 힘쓸 것이라는 계획을 밝힌 바 있다.

NAVER

wattpad WEBTOON

2021년 네이버는 기존 '네이버웹툰'을 바탕으로 캐나다의 세계 최대 웹소설 플랫폼 '왓패드(Wattpad)'를 인수해 이들은 통합한 '왓패드 웹툰 스튜디오'를 설립한다고 밝혔다. 왓패드는 매월 9000만 명 이상의 사용자가 230억 분을 사용하는 세계 최대 소셜 스토리텔링 플랫폼이며 1500여 편의 작품이 출판과 영상물로 제작된 바 있는 최고수준의 웹소설 플랫폼이었다.

35) 네이버웹툰 '캐릭터챗' 이달 첫선…"주인공과 생생한 채팅", 미라클아이, 2024.06.09

2021년 네이버웹툰은 총 누적조회수 32억뷰에 달하는 인기 웹툰 '유미의 세포'를 기반으로 하는 모바일 신작 '유미의 세포들 더 퍼즐'을 글로벌 정식 출시했다. 이 게임은 똑같은 모양의 퍼즐 3개를 이어 맞추는 방식으로 진행돼 누구나 쉽게 즐길 수 있다. 또한, 게임 곳곳에 원작 웹툰 속 인기 캐릭터 유미, 구웅, 바비, 순록 등이 등장해 웹툰과 게임을 동시에 즐길 수 있는 색다른 경험을 선사한다.[36]

'유미의 세포들'은 30대 평범한 직장인 '유미'의 일상과 연애 이야기를 머릿속 세포들의 시각으로 표현한 웹툰으로 2023년에는 원작 동명의 드라마 방영되었다.

올 4월에는 3D 애니메이션 '유미의 세포들 더 무비'가 극장에서 개봉했다. 해당 작품은 웹툰 IP 기반으로 한 국내 최초의 극장용 애니메이션이다.

네이버웹툰은 '유미의 세포들'의 다양한 형태의 2차 저작물을 선보이며 웹툰 IP의 무한 확장 가능성을 보여주고 있다. 유미의 세포들 IP를 활용한 쿠션, 키링, 인형마그넷, 퍼즐, 무드등 등 다양한 형태의 굿즈도 제작돼 판매되고 있다. 식품, 음료 등 여러 분야의 브랜드와 콜라보를 선보이기도 했다. 탄탄한 스토리를 바탕으로 전시, 드라마, 애니메이션에 이어 현재 뮤지컬도 개발 중이다.[37]

네이버웹툰은 20년 만에 미국 나스닥 상장 작업을 본격화한다. 일부 마니아가 즐기는 콘텐츠로 시작해 전 세계 엔터테인먼트 산업 중심지에 발을 들인 것이다. 상장을 통해 내세운 목표는 '글로벌 지식재산권(IP) 프랜차이즈'다. IP 사업으로 넷플릭스, 유튜브 등과 맞붙겠다는 포부다. 한국을 비롯해 미국, 일본 등에선 점유율 1위 웹툰 플랫폼으로 자리 잡았으며 전 세계 150개 국가에서 1억7000만명의 이용자를 확보했다.[38]

한편, 카카오는 2021년 카카오페이지와 카카오M을 합병해 '카카오엔터테인먼트'를 출범시키며 네이버 '왓패드 웹툰 스튜디오'와의 IP경쟁에 합류했다. 카카오엔터테인먼트는 각자 대표

36) 네이버웹툰, '유미의 세포들 더 퍼즐' 글로벌 정식 출시, 아시아투데이, 2021.08.19
37) 드라마 이어 영화까지… 네이버웹툰 IP '유미의 세포들 더 무비' 개봉, Moneys, 2024.04.03
38) 네이버웹툰, 글로벌 IP 프랜차이즈 노린다…"IPO는 새로운 시작", 아시아경제, 2024.06.04

체제로 김성수 대표와 이진수 대표가 함께 이끌며, CIC(Company In Company)체제를 도입해 M컴퍼니와 페이지 컴퍼니로 구성됐다.

카카오는 카카오엔터를 중심으로 콘텐츠 IP 역량을 하나로 더할 전망이라고 밝히며, 웹툰·웹소설 등의 원천스토리IP 부터 음악·영상·디지털·공연 등 콘텐츠 기획 제작은 물론, 글로벌 플랫폼 네트워크까지 엔터테인먼트 전 분야와 전 장르를 아우르는 밸류체인 확보를 목표로 하고 있다고 덧붙였다.

카카오는 IP확장을 위해 2015년부터 여러 발행처(CP사)들과 공모전을 개최했으며, 올해는 넥슨과 협업해 게임 '블루 아카이브'를 소재로 한 웹툰·웹소설 공모전을 열었다. 창비와 함께 개최한 공모전에서는 소설 '스노볼'을 발굴했고 CJ ENM을 통한 영상화도 확정했다. 이외에도 헬릭스 푸시 AI를 통해 완결 여부에 관계없이 유저의 취향과 맞는 작품을 추천하고 있다.

올해 상반기 기준으로 카카오엔터 IP를 활용해 영상화된 작품으로는 △선산(영화) △나 혼자만 레벨업(애니메이션) △외과의사 앨리제(애니메이션) △내일의 으뜸(드라마) 등이 있으며, 향후 필리핀에 드라마 '김 비서가 왜 그럴까' 출시 등을 앞두고 있다.[39]

IP 사업 강화에 주력하면서 완결된 작품이 역주행하는 흥행을 맛보고 있다. 최근 화제성 1위를 기록하며 종영한 tvN 드라마 '선재 업고 튀어'는 카카오페이지의 웹소설 '내일의 으뜸'을 원작으로 했다. 카카오엔터테인먼트는 웹소설을 드라마화하는 과정에서 판권 세일즈맨 역을 자처했다. 그 결과 웹소설의 조회수와 매출이 방영 2주 전 대비 방영 이후 동기간 각각 약 4배, 8.2배 증가했다.[40]

39) 글로벌 흥행작 알고보니 '웹툰 원작'… 네카오 IP사업 힘준다, 파에낸셜뉴스, 2024.06.03
40) '결국은 콘텐츠' 네이버·카카오의 신흥 노다지는 IP, 브릿지경제, 2024.06.08

카카오엔터는 올해 스토리 IP(지식재산권) 비즈니스의 국내외 성과를 입증하는 통계를 발표했는데, 시장 인텔리전스 플랫폼 센서타워가 발간한 자료에 따르면 지난 2년간 국내 도서 앱 매출 1위이자 전 세계에서 가장 빠르게 성장한 웹툰, 웹소설 플랫폼은 카카오페이지로 집계됐다.[41]

한편, 후발주자들도 IP확보에 뛰어들었는데, 이들은 대부분 단순히 IP를 발굴해 콘텐츠를 제작하겠다는 선에만 머물렀다. OTT 왓챠를 비롯해 로크미디어를 인수하고 예스24사와 조인트 벤처인 스튜디오 예스원을 설립한 원스토어, 자회사 로드비웹툰을 만든 게임사 조이시티 등이 IP 기반 콘텐츠 전략에 속도를 내는 중이다.

IP를 확보해 콘텐츠로 제작한 후 이를 영상 등 다양한 플랫폼으로 가동하는 밸류체인을 구축하는 곳은 사실상 네이버와 카카오가 유일하다. 특히 카카오의 경우, 카카오TV와 SK브로드밴드의 콘텐츠 교류 등을 통해 밸류체인의 영역을 끊임없이 확장하는 중인 것으로 알려졌다.[42]

업계 관계자에 따르면 네이버·카카오라는 거대 플랫폼이 좋은 작가, 콘텐츠를 빨아들이고 있어 국내 웹툰 생태계는 플랫폼 구축 시도보다는 CP에 집중하는 형태로 나타나고 있다고 한다.

또한 이러한 플랫폼 주도권 경쟁에 대해 관련업계 연구원은 플랫폼 기업과 콘텐츠 기업 간의 관계는 '동맹 관계'로 바뀌고 있다고 언급했다. 대표적인 사례로 네이버와 하이브의 지분 교환과 코스탁 상장예비심사를 청구한 디어유를 들었다. 네이버와 하이브는 연초 상호 지분 투자 방식으로 자사 팬덤 기반 플랫폼인 V LIVE와 위버스를 통합했다. 에스엠 자회사인 디어유는 아티스트의 프라이빗 메시지를 제공하는 유료 플랫폼인 버블의 성공으로 플랫폼 비즈니스를

41) 카카오페이지, 지난 2년간 국내 도서 앱 매출 1위, 뉴시스, 2024.05.30
42) [IT큐레이션] 네이버와 카카오, KT가 IP를 다루는 법.2021.4.6.이코노믹리뷰

확장하고 있다.

또한 "플랫폼 주도권 경쟁이 치열해지면서 콘텐츠-플랫폼 간 합종연횡이 활발하게 진행되고 있는데 상호 간 지분 투자를 넘어 자금력을 가진 대형 플랫폼 기업이 콘텐츠 기업을 인수하는 현상까지 발생했다"며 "에스엠은 최대주주 지분을 카카오나 네이버에 매각하는 방안을 검토 중이라는 보도에 10여년 이래 신고가를 달성했다"고 짚었다.

연구원은 "서로가 보유한 IP 스펙트럼이 넓어지면 웹툰·웹소설의 영상화와 같은 인기 IP의 원소스멀티유즈(OSMU)를 추진하기도 수월하다"며 "네이버가 CJ ENM에 투자한 배경도 이런 이유 때문일 것"이라고 분석했다.[43]

카카오웹툰, 국내 출시 이틀만에 거래액 10억원 달성

2021년 카카오엔터테인먼트는 '카카오웹툰' 출시를 앞두고 미리 체험할 수 있도록 '카카오웹툰 프리미어' 웹사이트를 공개했다.
카카오웹툰 플랫폼은 기존 웹툰 플랫폼과 달리 앱 사용 시작부터 끝까지 생생한 사용자경험(UX)을 제공한다. 웹툰의 본질인 그림의 가치를 극대화하기 위해 카카오웹툰 속 캐릭터들을 살아 움직이는 듯한 형태로 구현했다. 또한 이 플랫폼은 콘텐츠가 무한히 확장하는 형태로 디자인됐다. 상하좌우 어느 방향으로 움직여도 끝없이 지식재산(IP)이 디스플레이 된다.

이러한 플랫폼은 설계 단계부터 글로벌 시장을 겨냥해 만들어졌다. 글로벌 확장이 용이한 방

43) "콘텐츠株, 콘텐츠-플랫폼 결합 IP 확장 시너지 추구".2021.7.20.이데일리

식으로 설계됐으며, 어느 국가든 네트워크 환경에 큰 제약을 받지 않고 카카오웹툰을 즐길 수 있도록 앱을 최적화 한 것이 특징이다.[44)]

카카오엔터테인먼트는 카카오웹툰이 국내 출시 이틀 만에 거래액 10억 원을 달성했다고 밝혔다. 또 1인당 열람 건수와 구매 전환율이 각각 2.5배 증가하며 거래액 10억 원 달성했다.[45)]

네이버 웹툰,

미국 나스닥 상장 선택

정보기술(IT) 업계에 따르면 네이버웹툰의 본사이자 미국법인인 웹툰엔터테인먼트는 최근 미국 증권거래위원회(SEC)에 나스닥 IPO를 목표로 증권신고서를 제출했다. 네이버웹툰의 주식 발행규모와 공모가액은 공개되지 않았으나 블룸버그는 네이버웹툰의 기업가치를 30억~40억 달러(약 4조1550억~5조5400억 원)로 평가했다. 네이버웹툰은 이번 상장을 통해 최대 5억 달러(약 6925억 원)을 조달할 수 있을 것으로 보인다.

네이버웹툰은 미국뿐만 아니라 일본에서도 견조한 실적을 내고 있다. 모바일 데이터 분석업체 데이터닷에이아이에 따르면 네이버웹툰 일본 서비스인 라인망가는 지난달 일본 애플리케이션(앱) 마켓에서 게임을 포함한 전체 앱 가운데 매출 1위를 차지했다.

이전에 줄곧 1위를 지켜온 건 카카오의 자회사 카카오픽코마다. 카카오픽코마는 지난해 처음으로 연간 거래액 1000억 엔(약 9014억 원)을 경신한 바 있다. 카카오픽코마는 과거 일본 도쿄 거래소 상장을 추진한 바 있으나 최대주주인 카카오의 사법 리스크 등에 따라 IPO를 잠정 보류한 것으로 알려졌다.

---

44) 네이버·카카오 '웹툰 전쟁'. 2021.7.28.아시아경제
45) 카카오웹툰 국내 출시 이틀 만에 거래액 10억 원 달성.2021.8.3.서울경제

인기 웹툰 작가들, 대기업 임원보다 소득 높아져

이렇듯 국내 웹툰 시장이 날이 갈수록 고부가가치 콘텐츠로 부상하고 있는 가운데, 국내 인기 웹툰 작가들의 소득도 예전과는 비교할 수 없을 정도로 높아졌다는 소식이다.

네이버·카카오를 주축으로 웹툰시장이 커지면서 고소득을 올리는 웹툰작가들이 크게 늘고 있다. 네이버웹툰이 과거 공개한 소속 작가들의 평균 연간 수입은 3억1000만원으로, 웹툰시장 성장과 맞물려 작가들의 처우도 크게 개선됐다. 이에 따라 전공 불문 작가 지망생들이 웹툰시장에 대거 뛰어들고 있다.

네이버가 발표한 네이버웹툰 소속 작가 평균 수입은 3억1000만원이다. 특히 네이버웹툰 상위 20명 작가의 평균 연수입은 17억5000만원. 네이버웹툰을 통해 데뷔한 신인 작가의 평균 연수입은 1억6000만원으로 나타났다. 이는 네이버웹툰이 2018년 9월부터 2019년 8월 기준 네이버웹툰 정식 연재 및 미리보기 진행 중인 작가 359명을 대상으로 집계한 수치다. 웹툰 이용자 수가 최근 폭발적으로 증가해 현재는 이보다도 수입이 훨씬 더 올라간 것으로 추정된다.

주요 웹툰작가들의 수입은 국내 주요 기업 임원과 비교해도 결코 뒤지지 않는다. 기업평가 사이트 CEO스코어에 따르면 국내 주요 대기업 임원의 1인당 평균 연봉은 3억5890만원 수준이다.

이에 대하여 업계 관계자는 “만화가 웹툰을 통해 새로운 전성기를 쓰고 있는 만큼 다양한 작가지망생이 참여하는 건 긍정적 현상”이라고 밝혔다. “하지만 고료가 한 회 30만~50만원에 불과한 작가도 많은 만큼, 드러난 수치에 현혹돼 무작정 뛰어들기보다 본인만의 콘텐츠 경쟁력을 준비하는 게 우선”이라고 조언했다.[46]

라. 디지털 방송

국내 디지털 방송은 지상파, 위성 및 케이블 방송 위주로 서비스되었으며, 최근에는 홈네트워크 및 텔레매틱스와 함께 디지털 멀티미디어 방송인 DMB 시스템이 구축되어 이동 중에도 방송을 시청할 수 있다. 디지털 방송의 구체적인 분류는 다음과 같이 정리할 수 있다.

---

46) “연봉 3억원 이상 수두룩” 웹툰 작가 이렇게 많이 버나.2021.7.29.헤럴드경제

구분	특징
지상파	전파 매체를 통해 무료로 전 국민에게 방송 채널 제공 · 다양한 프로그램 및 고화질의 방송 제공 · PVR·VOD 기술과 경쟁 · 시청을 위한 셋톱박스 필요
위성	Pay-TV와 같이 다양한 채널 패키지 제공 · 지상파 방송에 비해 더 넓은 RF 대역폭을 이용 · 더 많은 채널 수와 고화질 방송 제공 · 한국디지털위성방송의 스카이라이프가 서비스 제공
케이블	고화질의 다양한 채널을 제공 · 다양한 셋톱박스 하드웨어와 미들웨어 · 프로그램 가이드, 예약녹화 기능 제공 · 암호화로 수신등급제한 등 부가 서비스 제공 · VOD, 게임 등 양방향 데이터통신 서비스 제공
DMB	이동 중에 시청할 수 있는 디지털 비디오 · 음성 및 DVD 수준의 동영상 데이터 전송 가능 · 지상파 DMB(T-DMB)와 위성 DMB(S-DMB)로 분류 · 현재 TU미디어가 DMB 서비스 제공

유비쿼터스 시대의 새로운 트렌드라고 할 수 있는 디지털 컨버전스는 방송과 통신의 융합뿐만 아니라 유무선 통신의 결합으로 확대되어 다양한 홈네트워크 서비스를 제공하고 있다. 특히 IPTV는 통신·방송 융합의 가장 대표적인 매체로서 홈네트워크에 접목되고 있으며, 기존의 아날로그 TV에 비해 몇 가지 장점을 가진다. 이 중 가장 중요한 것은 채널이 차지하는 대역폭을 줄일 수 있어 멀티캐스팅(Multicasting), 전자 프로그램 가이드(EPG : Electronic Program Guide), 대화형 TV 등의 특수한 서비스들도 가능하며, 아날로그 TV보다 나은 수준의 화질과 음성을 제공한다.47)

47) 보는 서비스 - 방송 수신 서비스 (훤히 보이는 디지털홈과 u라이프, 2008. 9. 22., 한인탁, 박준석, 문경덕, 배창석, 백의현, 조일연, 최상성, 허재두, 박광로, 한동원, 김채규)

한편, 지상파DMB(T-DMB)는 공중파를 이용해 VHF 채널 7~13번의 주파수 대역(174㎒ ~ 216㎒)을 이용하여 프로그램을 전송한다. 지상파 DMB는 MPEG-4 파트 10 (H.264)의 비디오 방식과 MPEG-4 파트 3 (BSAC) 또는 H2-AAC V2의 오디오 방식을 사용한다. 2005년 12월 1일, 지상파DMB는 대한민국에서 세계 최초로 지상파DMB 본방송을 시작했다. 2007년 12월 14일, DVB-H, OneSeg, MediaFLO와 같은 다른 표준들과 함께 ITU가 공식적으로 국제 표준으로 승인하였다. 현재 제공되고 있는 지상파DMB는 위성DMB에 비해 고속 차량 이동 중에도 방송을 시청할 수 있다는 장점이 있는 반면, 일부 난시청 지역에서는 원활히 시청할 수 없는 경우가 있고 화질이 낮으며 아직까지는 수도권 외 다른 지역의 채널 수가 그리 많지 못하다는 단점이 있다.

위성 DMB는 방송국에서 인공위성으로 전파를 보내고 인공위성에서 단말기로 전파를 보내는 방식이다.현재의 DMB의 원천 기술은 대한민국에 속해 있으나 위성DMB(S-DMB) 방송은 일본에서 처음 개시되었다. 위성DMB 사업에서 주도적인 역할을 하고 있는 TU미디어는 2004년 3월 13일 일본의 협력사인 MBCo와 공동으로 세계 최초의 DMB용 위성 '한별'을 쏘아올렸다. 하지만 대한민국에서 사업자 선정 과정이 연기되면서 서비스가 미루어졌고, 결국 일본의 MBCo가 2004년 10월 19일부터 모두 40개 채널의 정식 서비스를 일본에서 처음으로 시작하여 일본이 최초의 위성DMB 방송 국가가 되었다.

보통 출퇴근 시간이나 식사를 기다리는 짬 시간을 이용하여 미디어를 소비한다면 한 번 이용할 때의 미디어 사용 시간이 짧아질 수밖에 없다. 대형 화면의 고정수신인 TV의 경우 한 번 시청할 때의 이용 시간은 약 2시간 정도인데, 7인치 이하의 화면으로 이동 수신을 주목적으로 하는 위성DMB의 경우는 더욱 짧은 시간을 이용하는 경향이 높다. 최근엔 스마트폰의 보급으로 인해 위성DMB가 탑재되는 기기와 위성DMB 가입자가 모두 줄어들어, 대한민국에서는 2012년 8월 31일을 끝으로 위성DMB가 역사 속으로 사라졌다.[48)49)]

1) 유튜브

유튜브(영어: YouTube)는 구글이 서비스하는 동영상 공유 플랫폼으로, 2006년에 구글이 인수했고, 전세계 최대 규모의 동영상 공유 및 호스팅 사이트로서, 이용자가 영상을 시청 · 업로드 · 공유할 수 있다.

2005년 2월에 페이팔 직원이었던 채드 헐리, 스티브 천, 자베드 카림(퇴사)이 공동으로 창립했으며, 2005년 4월 23일에 최초 영상(Me at the zoo)이 업로드되면서 본격적인 서비스를 시작했고 2006년 10월 16억 5천만 달러의 가격으로 구글에 인수되었다. 구글은 2006년 10월 9일 주식 교환을 통해 16억 5천만 달러에 유튜브를 인수하기로 발표했으며, 이후 2007년 6월 20일 프랑스 파리에서 열린 '구글 프레스데이 2007' 행사에서 국가별 현지화 서비스를 시작한다고 발표하고, 먼저 네덜란드, 브라질, 프랑스, 폴란드, 아일랜드, 이탈리아, 일본, 스페인, 영국 등 총 9개 국가에서 사용자를 위한 페이지를 공개했다. 한국어 서비스는 2008년 1월 23일에 시작했다. 현재는 구글 자체로 독립해도 대기업을 능가할 정도의 가치가 되기에 유튜브의 몸값 상승은 구글에 엄청난 영향을 끼치게 되었다.

48) 위성DMB 다음달 31일 종료한다 연합뉴스 2012.7.5 2017.1.19 확인
49) 위키백과, 디지털 멀티미디어 방송

유튜브 저작권과 수익창출 조건

전세계 사람들이 유튜브에 열광하는 이유 중 하나가 바로 콘텐츠의 '수익창출' 때문이다. 디지털 콘텐츠로 수익을 창출하는 간접적인 방식들은 기존 플랫폼에서도 찾아볼 수 있었으나, 유튜브는 구글 에드센스 광고 수익을 콘텐츠에 직접적으로 연결하여 '콘텐츠 창작'이 '수익'으로 직결될 수 있도록 만들었다. 뿐만 아니라 유튜브 자체의 파급력이 커지면서 구독자가 많은 채널(인플루언서)들은 각종 브랜드와 협업하여 부가적인 수익을 창출하게 되었다. 이에 국내뿐 아니라 전세계의 사람들이 유튜브 시장에 너도나도 뛰어들고 있다.

그러나 모든 유튜버가 광고 수익을 얻을 수 있는 것은 아니다. 유튜브 채널의 구독자 수가 천 명이 넘고, 1년 동안 총 시청 시간이 4천 시간을 넘는 유튜버일 경우에만 구글 에드센스를 통한 광고 수익을 얻을 수 있다. 물론 그 외에 PPL 광고 수익이나 제품 리뷰를 통한 홍보 수익은 별도로 창출된다.

유튜브의 저작권법에 따르면, 이용자는 자신의 User Submissions 및 이를 게시하거나 출판하여 생기는 결과에 단독으로 모든 책임을 져야 한다. User Submission과 관련하여 이용자는 다음의 사항을 확인, 인정 · 보증한다. 이용자는 유튜브 웹사이트 및 본 약관에서 의도한 바대로 User Submissions의 이용 및 포함을 가능하게 하는, 기타 모든 User Submissions와 관련된 특허권, 상표권, 영업비밀, 저작권 또는 기타 소유권을 유튜브가 이용하는 데에 필요한 허가, 권리, 허가 및 승인을 보유하고 있거나 유튜브에게 위의 권리를 이용할 수 있는 권한을 부여하게 된다. (제6조 B항)[50]

유튜브의 새로운 창작자 후원 기능
'슈퍼챗', '슈퍼땡스'

한편, 유튜브가 실시간 스트리밍 서비스를 시작하게 되면서, 스트리머를 직접 후원할 수 있는 기능인 '슈퍼챗'도 등장했다. 만약 이 서비스를 쓰면 얼마를 후원했는지와 추신을 남긴다. 실시간 뿐만아니라 기존 동영상 콘텐츠를 통해서도 후원을 받을 수 있는 기능으로 '슈퍼땡스'가 있다. 유튜브는 콘텐츠 경쟁력을 높이기 위해 '별풍선'과 같은 창작자 후원 기능인 '슈퍼땡스'를 도입했다.

---

50) 위키백과, 유튜브

그러나 유튜브를 운영하는 구글이 인앱결제 정책을 도입하면 창작자 후원 기반 수익모델을 가진 국산 콘텐츠 플랫폼은 이용자 결제액의 30%를 수수료로 내야 해서 경쟁이 힘들어질 수 있다는 우려가 나온다. 슈퍼땡스는 라이브가 아닌 동영상을 통해서도 후원을 받을 수 있는 기능이다. 이용자는 원하는 동영상에 2달러, 5달러, 10달러 등을 결제해 창작자를 후원하고, 구글은 이용자 결제액의 30%를 수수료로 가져간다.

이처럼 '사용자 제작 콘텐츠(UGC)'라고도 불리는 후원 기반 콘텐츠 플랫폼 사이의 경쟁이 치열해지는 상황에서, 아프리카TV·스푼라디오·하쿠나라이브 등 국산 UGC 플랫폼의 경쟁력은 더 떨어질 수 있다는 우려가 나온다.

현재 플레이스토어에 유통되는 국산 UGC 앱 대부분은 '별풍선'(아프리카TV), '스푼'(스푼라디오) 같은 후원 수단 결제에 자체 시스템이나 3% 미만 수수료의 결제 대행 시스템을 이용하고 있다. 하지만 인앱결제가 도입되면 결제액의 30%가 수수료로 부과돼 수익 감소나 유료 재화 가격 인상이 불가피해지고 결국 유튜브 등과의 UGC 경쟁에서 불리해질 수밖에 없다.

익명을 요구한 한 UGC 업계 관계자는 "30% 수수료가 적용되면 유료 재화의 가격 인상 말곤 딱히 대안이 없다"라며 "가격 부담으로 이용자의 후원이 줄어들면 창작자 확보에도 어려움이 생길 것으로 염려된다"라고 말했다. 다른 관계자도 "그나마 반값 수수료 혜택이라도 받을 수 있을지 기대했지만 우리는 혜택 대상에서 빠져, 다른 대안 없이 유료 재화를 인상해야만 하는 실정이라 고민이 많다"라고 했다.

이에 따라 국내 최대 UGC 플랫폼인 아프리카TV를 포함해 국내 콘텐츠 플랫폼 기업들이 소속된 한국인터넷기업협회는 창작자들에게까지 수수료 부담이 전가돼 산업 전반에 타격이 올 거라는 이유로 인앱결제 의무 도입을 반대했다.[51]

51) 유튜브, '슈퍼땡스' 도입하는데…'별풍선·스푼'엔 30% 수수료 족쇄, 조선비즈, 2021.7.29

2) 아프리카TV

한국의 대표적인 실시간 인터넷 방송 아프리카TV는 과거에는 '나우콤'이라는 이름으로 시작했다. 1994년 설립되어 PC통신 서비스인 나우누리를 출범시켜 크게 성장하였고, 2000년 이후 피디박스, 클럽박스, 스티큐브 등 많은 방면으로의 인터넷 서비스를 개발하고 시도해 왔던 명실상부한 IT 기업이다. 2013년부터는 아프리카TV로 사명 자체를 바꿔 버렸을 정도로 개인방송 분야가 기업의 주축이 되어버렸다.

기본적으로는 누구나, 언제, 어디서든 인터넷 방송을 할 수 있는걸 모토로 내세웠으며, PC나 스마트폰으로 방송을 켜서 게임을 하든, 캠을 켜고 시청자와 이야기를 나누든 기본 운영원칙에만 걸리지 않으면 어떤 콘텐츠든 자유롭게 방송할 수 있다. 그리고 방송이 잘 되면 시청자들의 아이템 선물(별풍선)을 통해 실제 돈으로 이어지는 수익 창출도 가능하게 만들면서 전업 BJ가 생기기도 했고, 더 나아가 1인 미디어 시대를 본격적으로 열었던 프로그램으로 평가받고 있다. 이는 광고수익으로 수익을 창출하는 유튜브의 시스템과는 다른 방식이다.52)

초창기에는 개인방송 말고도 마이너한 게임의 방송, 특히나 워크래프트3, Warhammer 40,000 등의 실황 플레이 동영상을 아프리카 방송으로 볼 수 있었다. 그런데 점점 EPL이나 롤챔스 등등 대형 경기를 중계하며 스케일이 커졌고, 2014년에는 KBS 등등 TV방송사도 끌어와 해당 방송국의 프로그램도 아프리카TV로 볼 수 있었다.

이에 따라 케이블TV협회는 지난 2016년 MCN협회와 저작권 양해각서를 체결하고, 개인방송에 케이블TV의 영상이 활용될 수 있는 방안을 마련했다. 인터넷 방송인이 케이블 방송의 영상을 활용해 2차 창작물을 만들 수 있도록 하고, 방송사와 저작권을 공동소유하는 것이다. 수

52) 나무위키, 아프리카TV

익이 발생하면 제작자와 방송사가 동일하게 분배한다는 내용도 담겨있다. 이와 같이 아프리카TV 플랫폼 차원에서 저작권 문제에 적극적으로 해결방안을 만들어, 방송인들의 자유로운 창작 생태계를 마련하기도 했다.[53]

아프리카TV의 수익구조

'별풍선'은 아프리카TV에서 만든 방송아이템이자 사이버머니이며 BJ들을 수익 수단이기도 하다. 2007년 11월 탄생했으며, 다양한 결제수단을 통해 구입해 시청자가 BJ에게 선물할 수 있다. 일종의 기부금형식의 시청료인 셈이다. 이를 받은 BJ는 일정량이 모이게되면 본인확인을 거친뒤 다시 현금으로 환전할 수 있다. 이 별풍선은 한개에 110원이다. 이 별풍선의 유효기간은 받은 날로부터 5년으로, 기간이 지나면 환전이 불가능하며 지난 별풍선은 전액 아프리카tv로 귀속된다.[54]

구독은 1건당 3,300원이며, (vat10%포함) 80% 해당하는 2,400원으로 환전 가능하다. 애드벌룬 1개는 100원으로 계산되며 BJ에게는 표시된 적립률에 따라 적립금이 지급된다. BJ의 편집영상을 업로드할 때 방송한 BJ 아이디를 입력해야 하며 해당 VOD에서 발생되는 적립금은 방송한 BJ에게 60%, 편집한 유저에게 10% 배분된다. 유저 클립을 통해서도 방송한 BJ와 클립을 생성한 유저 모두에게 광고 수익 혜택을 제공하며, 방송한 BJ에게 60%, 생성자 10% 배분된다. [55]

올해 3월, 아프리카TV는 사명을 '숲(SOOP)으로 변경했다. TV라는 인식에서 벗어나 다양한 생물이 어울려 생태계를 이루는 숲과 같은 플랫폼을 만들겠다는 설명이다. 아프리카TV는 3분기에 서비스명도 'SOOP'으로 바꾸고 'BJ', '별풍선' 등 기존 용어와 이용자 인터페이스(UI), 도메인, 디자인 등 서비스 전반적인 부분을 개편할 계획이다. 이를 통해 장르의 구분 없이 다양

53) 1인 방송 시대 저작권 정책..."플랫폼이 책임진다" - 머니투데이
54) 위키백과, 아프리카TV
55) 별풍선 매출에 광고 없은 아프리카TV, 사상 최고가.2021.7.30.매경이코노미

한 스트리머와 이용자 유입을 유도한다.

글로벌 시장 확장도 진행 중이다. 아프리카TV는 현재 e스포츠가 활발하게 진행되는 태국을 비롯해 동남아시아 지역과 미국에 진출해 있다.[56)]

최근 SOOP은 연결 기준 1분기 영업이익이 287억원으로 지난해 동기보다 56% 증가한 것으로 잠정 집계됐다. 영업이익은 연합인포맥스가 집계한 시장 전망치 239억원을 20% 상회했다. 매출은 950억원으로 작년 동기 대비 30.7% 증가했다. 순이익은 248억원으로 49.6% 늘었다. 매출액 중에서는 플랫폼 비중이 83%로 가장 컸고 광고가 16%를 차지했다.

SOOP은 지난해 말 트위치의 국내 시장 철수 발표 후 신규 방송인과 이용자 유입으로 플랫폼 생태계가 더욱 활발해지면서, 스트리머에게 후원하는 이용자가 전 분기 대비 21% 증가했다고 밝혔다.

올해 3월 기준 평균 동시 시청자 수는 작년 12월 대비 17%, 월평균 시청 시간은 20% 증가했고 스트리머를 정기적으로 후원하는 구독자 수도 45% 늘었다. 최초로 활동을 시작한 스트리머도 35% 증가했다.

SOOP은 글로벌 스트리밍 플랫폼 'SOOP'을 출시하고, 3분기 중 기존 국내 아프리카TV 플랫폼도 같은 이름으로 리브랜딩한다.[57)]

3) OTT서비스

OTT 서비스, Over-The-Top

기존의 범위를 넘어선 디지털 방송

OTT 서비스(영어: Over-the-top media service)는 인터넷을 통해 방송 프로그램·영화·교육 등 각종 미디어 콘텐츠를 제공하는 서비스를 말한다. OTT는 Over-the-top의 줄임말로 Over-the-X는 '기존의 범위를 넘어서'라는 뜻이 있다. top은 TV 셋톱박스 같은 단말기를 의미한다. 이처럼 OTT서비스는 초기에 단말기를 통해 영화·TV프로그램 등 프리미엄 콘텐츠를 VOD 방식으로 제공하는 서비스를 지칭했다. 이후 인터넷 기술변화에 따라 콘텐츠 유통이 모

56) 아프리카TV, '숲'변경 vs 치지직, 정식출시…'토종 스트리밍' 경쟁 본격화, 신아일보, 2024.04.26
57) 아프리카TV서 이름 바꾼 SOOP, 1분기 영업익 작년 대비 56%↑, 연합뉴스, 2024.04.29

바일까지 포함하면서 OTT의 의미가 확대됐다.58)

사실상 옛 VOD 서비스가 한층 업그레이드된 개념으로 볼 수 있는데 이는 SVOD와 AVOD로 다시 구분할 수 있다.

SVOD는 Subscription Video On Demand의 약자이며 일정 수준의 월 정액 요금을 내고 설정한 기간 동안 서비스되는 모든 콘텐츠를 자유롭게 무제한 감상할 수 있는 서비스를 말한다. 넷플릭스, 웨이브, 티빙 등이 대표적인 SVOD로 구분할 수 있다.

AVOD는 Ad-based Video On Demand의 약자로, 무료 베이스로 모든 콘텐츠를 감상할 수 있지만 영상 곳곳에 광고가 삽입되어 있어 시청자가 이를 조금씩이라도 보면서 본 콘텐츠를 감상해야 한다는 점이 특징이다. 대표적인 서비스로는 Youtube를 예로 들 수 있다.59)

OTT 서비스의 등장은 공급과 수요의 측면에서 분석할 수 있다. 수요적인 측면은 시청자의 다양한 컨텐츠 욕구이다. 정해진 컨텐츠, 정해진 방송사, 정해진 채널이 시청자의 다양한 욕구를 해결할 수 없었다. 소비자들의 다양한 욕구, 온라인 동영상 이용의 거부감 저하가 수요적 측면에서 OTT 서비스를 발전시킨 계기이다. 공급적 측면은 규제적인 측면과 기술의 발전을 들 수 있다. 규제적 측면에서 OTT 서비스는 압축된 동영상이나 음악 등을 전송하는 것이기 때문에 방송이 아닌 데이터 서비스에 속해 새로운 플랫폼으로서의 규제가 덜하다. 기술적인 측면에서는 초고속인터넷 발달과 스마트 기기의 보급을 들 수 있다.60)

58) "낯익지만 잘 모르는 OTT". 《business watch》. 2015년 8월 11일. 2016년 6월 2일에 확인함.
59) 국내 OTT 서비스의 특징과 순위, 잡학서고
60) 서, 기만 (2011년 3월). "OTT 서비스의 이해와 전망". 《방송공학회지》 16권 (1호): 92-93p.

부동의 1위, 넷플릭스

와이즈앱·리테일·굿즈가 한국인 스마트폰 사용자(Android+iOS)를 표본 조사한 결과, 24년 1월 기준 주요 OTT 앱(넷플릭스, 쿠팡플레이, 티빙, 웨이브, 디즈니플러스) 중 사용자 점유율 1위, 사용시간 점유율 1위 모두 '넷플릭스'가 차지한 것으로 추정됐다.

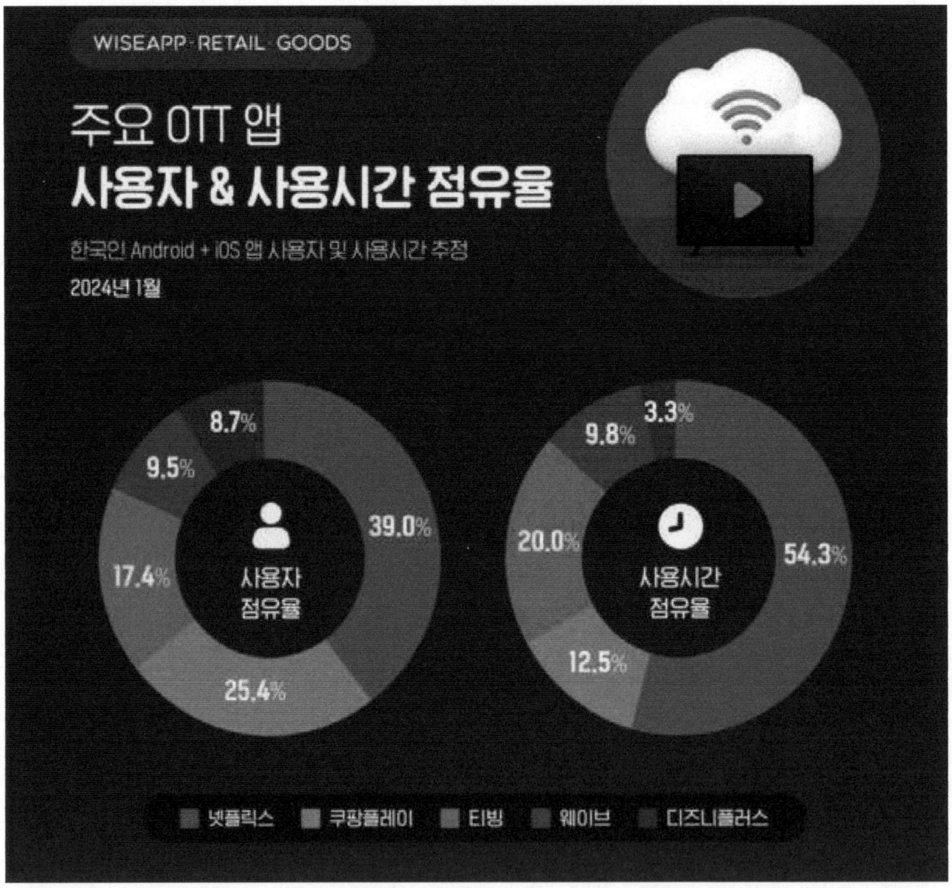

사용시간 점유율도 넷플릭스가 8,809만 시간을 기록하며 54.3%라는 압도적인 1위를 차지했다. 그 뒤로 티빙(20.0%, 3,248만 시간), 쿠팡플레이(12.5%, 2,021만 시간), 웨이브(9.8%, 1,592만 시간), 디즈니플러스(3.3%, 541만 시간) 순이었다.[61]

61) 격변의 OTT 시장, 2024년 이용 현황은?, MADCLUB, 2024.06.13

넷플릭스의 승리 비결,

결국은 콘텐츠

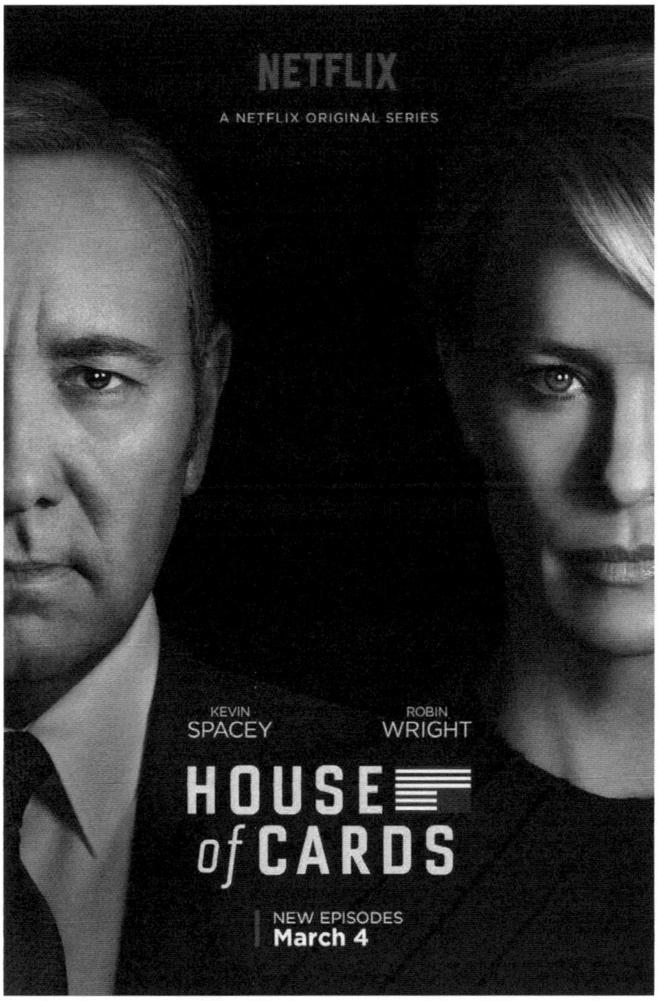

넷플릭스 첫 오리지널 콘텐츠

넷플릭스의 승리비결 첫 번째는 바로 규모의 경제(scale economies) 실현부터 시작한다. 4년의 세월 동안 넷플릭스는 아주 치밀하고도 빠르게 구독자 수를 모았으며, 이는 규모의 경제 파워(Power)의 전제 조건인 "규모"(scale)를 충족할 수 있게 해 주었다. 그러나 단순히 규모가 크다고 해서 규모의 경제를 통해 이익을 볼 수 있는 것은 아니다. 규모(scale)는 쉽게 재정거래(arbitrage) 당할 수 있는 속성의 산업이었고, 넷플릭스는 큰 규모로부터 얻을 이익을 방어할 방법을 모색해야 했다.

결국 넷플릭스는 다른 것보다도 바로 '콘텐츠'가 문제의 해결책이라는 사실을 깨닫게 된다.

콘텐츠는 구독자에게 제안하는 가치(value proposition) 중에서도 가장 본질적인 제안이었을 뿐 아니라, 비용 구조에서도 가장 큰 부분을 차지한 항목이었다.

그때까지 넷플릭스는 주로 콘텐츠 제작자들과 스트리밍 라이센싱 계약을 맺어 콘텐츠를 확보했다. 그러나 여기에는 치명적인 구조적 결함이 있었는데, 제작자들로부터 콘텐츠를 수급하려다 보니 지역, 개봉일, 계약방식 등에 따라 각기 다른 조건을 맞춰주어야만 했고, 이러한 변동비용(variable cost)은 장기적으로 넷플릭스의 비용 구조에 치명적일 거라는 사실을 알게 된다. 이에 따라 넷플릭스는 장기적으로 살아남기 위해서는 단독 스트리밍 콘텐츠를 최대한 많이 확보해야겠다고 판단했다.

그러나 단독 스트리밍 계약만으로는 쉽게 규모의 경제를 방어할 수 없을 것이라는 판단이 선 넷플릭스는 1억 달러(한화 1,000억 원)라는 거액을 투자해, 2012년 첫 메이저 오리지널 콘텐츠인 〈하우스 오브 카드(House of Cards)〉를 제작하게 된다. 〈하우스 오브 카드〉를 시작으로 **오리지널 콘텐츠 중심 전략**을 펼친 넷플릭스의 주가는 100배 가까이 올랐고, 시가총액 역시 500억 달러에 이르렀다.

지금에 이르러서야 단독 콘텐츠를 중심으로 성장하는 넷플릭스의 이러한 결정은 언뜻 당연해 보인다. 넷플릭스에 이어 티빙, 웨이브 등의 국내 OTT플랫폼들도 이러한 넷플릭스의 행보를 뒤따르고 있을 정도로 '오리지널 콘텐츠'의 파급력은 실로 컸다. 그러나 그 당시에는 성공할 가능성이 매우 낮아 보이는 생각이었다. 오리지널 콘텐츠는 고위험 사업이다. 자본금도 콘텐츠당 수십·수백억 원이 들뿐더러, 제작 경험이 많지 않은 유통업자 넷플릭스가 콘텐츠 제작을 중심으로 사업을 전개하려면 수많은 리스크를 감수해야만 한다. 또한 단독 스트리밍 계약과 오리지널 콘텐츠 제작을 통한 비용구조 개선을 단행할 수 있게 해준 레버리지는 바로 다름 아닌 구독자 수의 스케일이었다. 그들이 경쟁사보다 압도적인 구독자 수를 보유하지 않았다면 모두 수포가 될 일이었다.[62][63]

결국 '규모의 경제'와 '콘텐츠의 힘'은 서로 맞물려 넷플릭스의 성장을 도왔으며 현재까지 OTT 시장에서 부동의 1위를 차지할 수 있게 해준 장본인이 되었다.

62) 『7 Powers: The Foundations of Business Strategy』 by. Hamilton Helmer
63) 넷플릭스가 성공한 이유는 문화도, 알고리즘도, 제품도 아니다.2021.7.29.ㅍㅍㅅㅅ

넷플릭스, 모바일 게임 서비스 추가 예정

2021년부터는 넷플릭스가 게임 분야로 확장하며, 모바일 게임부터 플랫폼에 추가했다. 디즈니플러스나 아마존프라임 등 시장에 진입하는 신규 스트리밍 서비스와의 경쟁이 갈수록 치열해지는 상황에서 게임은 넷플릭스에게 `블랙 미러` 시리즈의 인터랙티브 에피소드인 `밴더스냅치`와 같은 독특함을 제공할 수 있다.

이를 위해 넷플릭스는 게임회사 일렉트로닉 아츠(EA) 출신 마이크 버두를 게임 개발 부사장으로 영입했다.[64)]

넷플릭스가 처음으로 출시한 글로벌 모바일게임은 '기묘한 이야기' 2종이다. 원작 기묘한 이야기는 1980년대 미국을 배경으로 한 미스터리 스릴러 드라마이다.

게임 앱을 실행하면 넷플릭스 계정을 선택해야 하며, 유료 OTT에 가입되어 있는 계정은 게임을 무료로 플레이할 수 있다.

기묘한 이야기 2종은 탑뷰 도트 그래픽으로 구성됐고, 서로 비슷한 게임방식을 취하되 인물과 전개가 조금씩 다르다. 기묘한 이야기 3: 더 게임은 원작 시즌3에 등장하는 12명의 캐릭터를 중심으로 팀플레이 액션과 어드벤처 플레이가 제공된다.[65)]

현재 국내에서 즐길 수 있는 넷플릭스 게임의 개수는 94개로, 거의 100개에 가까운 수준이다. <GTA> 트릴로지, <하데스>(아이폰 버전), <레인보우 식스: 스몰>, <데드 셀>, <브레이드>, <문라이터>, <옥센프리> 1, 2편, <소닉> 시리즈, <12분> 등, 게임 좀 안다 하는 사람들은 다들 이름을 들어봤을 작품들이 가득하다. <기묘한 이야기>, <종이의 집>, <퀸스 갬빗> 등 인기 드라마를 활용한 게임들도 있다.

64) 넷플릭스가 모바일 게임 기능을 추가한다.2021.7.21.BBC뉴스 코리아
65) '이제 첫 걸음' 넷플릭스 모바일게임 글로벌 출시, GAMEPLE, 2021.11.04

최근에는 <돈 스타브 투게더>, <테일즈 오브 더 샤이어: 반지의 제왕>, <드래곤 프린스: 자디아>를 포함한 14개 신규 게임을 소개했다. 존재감이 미미했던 서비스 초창기와 달리, 이젠 많은 사람들이 관심을 가질만한 라인업이 확보된 상태다.[66]

넷플릭스 X 김태호 PD

한편, 2021년에는 넷플릭스와 MBC 김태호 PD가 선보이는 지상파 방송사 최초 넷플릭스 프로젝트 '먹보와 털보'의 제작이 확정되었다는 소식이 전해졌었다. 예능 '무한도전' '놀면 뭐하니?' 등을 연출한 MBC 김태호 PD가 오랜 시간 호흡을 맞춰 온 장우성, 이주원 PD와 함께 지상파 방송사 소속 최초로 넷플릭스 예능 시리즈를 연출했다.

김태호 PD가 넷플릭스에서 선보인 '먹보와 털보'는 맛에 진심인 '먹보' 비(정지훈)와 노는 것에 진심인 '털보' 노홍철이 서로의 유일한 공통점인 바이크를 타고 전국의 맛과 멋, 멍까지 찾아 떠나는 좌충우돌 로드트립 버라이어티다. 여기에 싱어송라이터 이상순이 음악감독으로 참여했다. [67]

최근 막을 내린 '지구마불 세계여행'도 김태호 PD와 김훈범 PD가 제작한 프로그램이다. 여행 크리에이터 빠니보틀, 원지, 곽튜브가 김태호 PD가 설계한 현실판 부루마불 게임에 참여해 주사위에 운명을 맡긴 채 세계여행을 떠나는 프로그램이다. 지난해 2월에 방송된 시즌1은 ENA 상반기 예능 최고 시청률을 달성했고, 넷플릭스와 티빙 등 온라인동영상서비스(OTT)에서 상위권을 기록했으며 유튜브에도 누적 조회수 6000만 뷰를 넘겼다.[68]

---

66) '돈 스타브', '반지의 제왕'까지, 넷플릭스의 야심찬 게임 계획, THIS IS GAME, 2024.06.07
67) 넷플릭스×김태호 PD 손잡았다…'먹보와 털보' 제작.2021.8.9.노컷뉴스
68) "유튜브와 방송 각각의 콘텐츠 노하우 최대한 접목시켰죠", 세계일보, 2024.06.10

OTT시장에 공룡 등장, 디즈니 플러스

“국내 토종 OTT 플랫폼들 긴장해야”

디즈니 플러스는 2009년에 디즈니가 출시한 가입형 온라인 스트리밍 OTT 서비스이다. 국내에는 2021년 론칭했다. 론칭 16개월 만에 가입 1억 가구를 돌파하기도 했다.

디즈니 플러스는 국내 진출 당시 모기업 디즈니가 가지고 있는 방대한 콘텐츠를 바탕으로 국내 OTT 시장의 변수가 될 것으로 예측됐으나 진출 초기 고전을 면치 못했다. 그 가장 큰 이유로 경쟁력 있는 국내 콘텐츠를 충분히 확보하지 못한 것으로 꼽혔다.[69]

하지만 2022년 7월 하이브와 디즈니 아시아 태평양 지역(APAC)가 협업을 진행, 5개의 글로벌 콘텐츠 공급을 발표하며 분위기가 반전됐다. 하이브가 제작한 리얼리티 프로그램 '인더숲 : 우정여행', LA 콘서트 실황공연 영상인 'BTS : PERMISSION TO DANCE ON STAGE - LA' 등이 국내외 인기를 얻으며 디즈니 플러스의 경쟁력을 끌어 올렸다.

국내 론칭 3년 차에 접어든 글로벌 OTT 디즈니플러스가 좀처럼 자리를 잡지 못하고 있다. 야심 차게 선보인 자체 콘텐츠들의 파급력이 예상보다 저조한 반응을 얻으면서 일각에서는 K-콘텐츠 사업을 정리할 거란 이야기까지 나온다.

빅데이터 분석 플랫폼 모바일인덱스에 따르면, 디즈니플러스의 올 2분기 월간 이용자수(MAU)는 약 540만1377명으로 집계됐다. 이는 업계 선두 주자인 넷플릭스(3468만6688명)는 물론, 치열한 자리싸움 중인 토종 OTT 티빙(1524만8019), 쿠팡플레이(1347만3786), 웨이브(1166만6469명)에도 한참 밀리는 수치다.

월별 감소세도 뚜렷하다. 디즈니플러스의 MAU는 지난 4월 181만4548명에서 5월 179만7157명, 6월 178만9672명으로 꾸준히 떨어졌다. 하락 폭이 크진 않지만, 월평균 1만명 이상

69) 유재석 '더존'→최민식 '카지노'...론칭 1년 디즈니+의 '절치부심', YTN, 2022.11.05

이 계속 빠져나가고 있는 셈이다.

계속되는 실적 악화로 이미 정리해고를 단행한 디즈니는 결국 각국 시장에서 자체 OTT 콘텐츠 제작 및 TV 채널 송출을 중단하기 시작했다. 대표적으로 디즈니플러스는 지난달부터 캐나다 오리지널 콘텐츠 제작을 멈췄다.

다만 업계에서는 아태지역, 특히 한국 시장까지는 외면하지 않을 거란 의견이 지배적이다. 자국 콘텐츠 소비량, 이른바 '충성도'가 높은 시장인 데다 가심비 혹은 가성비를 충족하는 경쟁력 있는 필름 메이커들이 다수 존재하는 까닭이다. 더욱이 최근 미국 작가 및 배우·방송인 노동조합이 파업에 돌입하면서 할리우드 콘텐츠 제작에 제동이 걸린 만큼 오히려 K-콘텐츠 제작·투자가 더욱 활발해질 거란 예측도 나온다.70)

최근에는 스트리밍 서비스 디즈니+(플러스) 오리지널 시리즈 '애콜라이트'(감독 레슬리 헤드랜드)가 공개 후 2024년 디즈니+ 최고 시청 기록을 달성했다.

월트디즈니 컴퍼니 코리아에 따르면 '애콜라이트'는 지난 5일 첫 공개 후 하루 만에 글로벌 480만 시청을 기록, 공개 5일 만에 1110만 시청 기록을 달성했다. 이는 2024년 디즈니+ 시리즈 중 최고 시청 수치다.

한편 '애콜라이트'는 평화를 수호하는 제다이 기사단의 황금기로 불리던 시대에 전대미문의 제다이 연쇄살인 사건이 벌어지고, 그 뒤에 숨겨진 비밀과 진실 속 새롭게 떠오르는 어둠의 세력에 대한 이야기를 다룬 미스터리 액션 스릴러로 매주 1회씩 총 8개의 에피소드가 공개된다.71)

---

70) '韓 철수설' 디즈니플러스, K-콘텐츠 제작 멈추나, MTN뉴스, 2023.07.19

71) 이정재 '애콜라이트', 올해 디즈니+ 최고 시청 기록 달성, 뉴스1, 2024.06.12

티빙, 오리지널 콘텐츠로 매출 상쇄 기대

TVING

현재 티빙 가입자는 올해 1분기 신규 유료 가입자 수가 약 430만명으로, 지난해 4분기 대비 50% 늘었다고 밝혔다. 리그 순위 싸움이 본격화하고 티빙 콘텐츠가 흥행을 이어간다면 구독자 500만 달성도 무난할 것이라고 티빙 측은 전망했다.

이는 최근 KBO 중계 효과를 톡톡히 보면서 시작됐다. 티빙은 3년간(2024~2026년) 1350억원(연간 450억원)에 KBO 리그 유무선 중계권을 따냈다. 시범경기 중계가 시작된 3월 9일부터 19일까지 티빙 총 사용 시간(2112만시간)은 국내 OTT 중 가장 많은 사용 시간을 기록했다. 신규 앱 설치 건수도 같은 기간 70% 증가한 26만5000건을 기록했다.

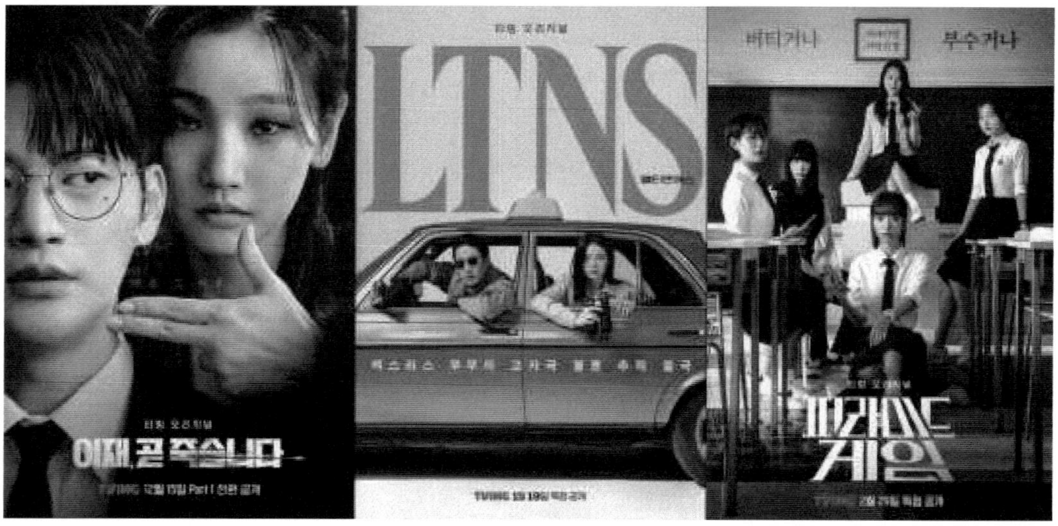

인기몰이에 성공한 오리지널 시리즈 '이재, 곧 죽습니다' 'LTNS' '피라미드 게임'과 프랜차이즈 예능 '환승연애3' '크라임씬 리턴즈'도 가입자 수 증가에 힘을 실었다. '이재, 곧 죽습니다'는 파트2가 공개된 지난 1월 7일 플릭스패트롤 기준 프라임비디오 TV쇼 글로벌 종합 순위 2위에 올랐다.

2017년 JTBC에서 종방 이후 7년 만에 OTT로 돌아온 '크라임씬 리턴즈'는 공개 첫 주 기준 티빙 유료가입 기여자 수 역대 2위에 올랐다. 티빙의 대표 IP '환승연애3'는 티빙 유료 가입 기여자 수 역대 1위를 경신했다. IP와 관련된 클립(짧은 영상)의 누적 조회 수는 지난 3월 기준 2억회를 돌파했다.

한편, 티빙이 '2024 신한 SOL뱅크 KBO 리그' 경기를 최대 6개까지 동시에 시청할 수 있는 '멀티뷰' 기능을 도입한다. 티빙의 KBO 리그 멀티뷰 기능은 동시간대 경기를 한 화면에서 시청할 수 있는 서비스로, 티빙 PC 웹과 모바일 앱의 KBO 라이브 채널에서 이용 가능하다. KBO 리그가 같은 시간대에 최대 5경기가 동시에 진행되는 만큼 여러 경기를 한꺼번에 시청하며 전체 흐름을 파악하려는 야구팬들의 니즈를 반영했다.

현재 티빙(드라마) 부문은 최근 많이 언급되어 대중들의 관심도가 높은 것으로 전해졌다.

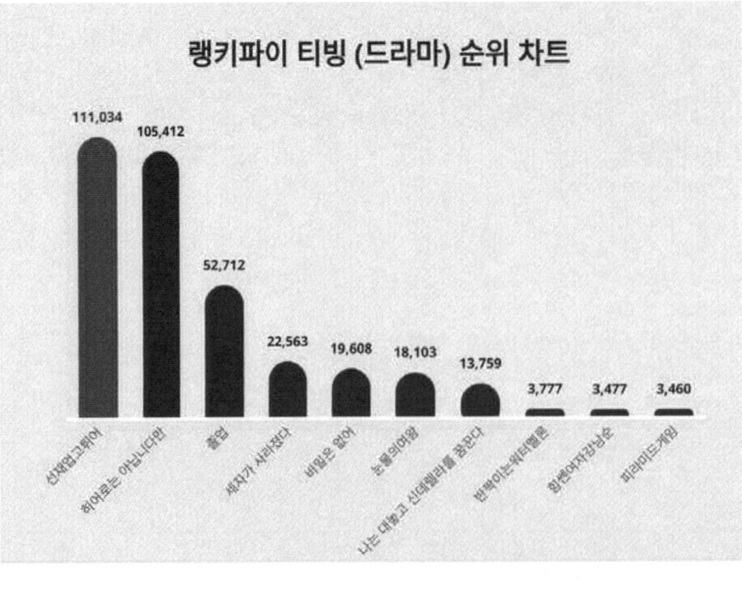

티빙이 최근 넷플릭스를 처음으로 앞지르며 두 OTT의 합병으로 공룡 OTT에 대항할 수 있을 거란 기대감이 커지고 있다. 모바일인덱스에 따르면 티빙이 온라인 독점 중계하는 드라마 '선재 업고 튀어'의 마지막 방영날인 지난달 28일 티빙의 총 사용 시간은 250만 10시간으로, 넷플릭스의 240만 8179시간을 9만 1831시간 차이로 추월했다.

1인당 평균 시청 시간도 티빙이 넷플릭스를 앞섰다. 지난달 티빙의 1인당 평균 시청 시간은 12.13시간, 넷플릭스는 9.77시간이었다. 이탈률은 넷플릭스가 더 높다. 지난달 티빙의 이용자 이탈률은 21.71%였으며, 넷플릭스의 이탈률은 23.83%였다. 이용자 이탈률은 넷플릭스가 올해 들어 점차 높아지고 있는 반면 티빙은 낮아지고 있다.[72]

최근에는 티빙과 웨이브의 합병이 급물살을 타고 있다. 넷플릭스, 디즈니플러스 등과 같은 글로벌 OTT에 대항할 수 있는 토종 OTT가 탄생할 것이란 기대가 나온다. 증권가에서는 CJ ENM이 합병에 따른 가장 큰 수혜를 입을 것으로 전망하면서, 영업이익이 최대 2천억원~3천억원 증가할 것으로 내다보고 있다.[73]

국내 OTT의 반격, 웨이브

웨이브는 2019년 KBS, MBC, SBS로 이루어진 지상파 3사와 SK텔레콤의 합작으로 만들어진 OTT 서비스이다. 국내 방송 콘텐츠로는 대표적으로 MBC, KBS, SBS의 콘텐츠와 Wavve 오리지널 콘텐츠를 제공한다. 그 외에도 종합편성채널인 채널A, TV CHOSUN, MBN의 프로그램과 iHQ, t.cast 등 여러 MPP들에서 제작한 프로그램들도 제공한다. TV채널에서 방송이 시작된 직후 바로 볼 수 있는 Quick VOD 서비스를 제공하는데, 실시간으로 TV채널을 통해 방영되고 있는 부분까지만 볼 수 있다. 다만, 모든 프로그램을 Quick VOD로 볼 수 있는 것은 아니고 인기프로그램에 한해서 제공한다. 그 외 프로그램들은 방송이 종료된 후 오픈된다.

2023년 7월 4일 Seezn에 이어서 Wavve까지 TVING과 합병된다는 보도가 나왔다. 국내외 OTT가 범람하면서 제로섬 게임 우려가 나오자 합병 시도가 나온 것으로 보인다. 만약 합병이

72) "국산 OTT 넷플릭스 앞질렀다"…티빙·웨이브, 합병 초읽기, 이투데이, 2024.06.11
73) 웨이브 합병 앞둔 티빙 '갑질 논란',ZDNET Korea, 2024.06.12

성사된다면 넷플릭스와 국내 OTT 시장을 두고 자웅을 겨룰만한 확고한 경쟁 OTT로 올라서게 될 것으로 보이며 K-OTT의 해외 시장 진출에도 도움이 될 것으로 보인다.

다만 당장 급하게 추진하겠다는 의사는 아닌지 보도가 나온 이후로는 한동안 지지부진하다가 2023년 11월, 다시 TVING과 합병된다는 보도가 나왔으며 이후 2023년 12월 합병 MOU를 체결하였다. 2024년 5월엔 지분율 협의가 마무리되었다는 보도가 나왔다.[74]

올해 1분기에 웨이브가 1인당 애플리케이션 평균 사용시간이 가장 높은 것으로 집계됐다. 모바일인덱스에 따르면 1분기 웨이브의 1인당 평균 사용시간은 628.5분이다. 티빙(507.5분)과 넷플릭스(458.5분)보다 많다.

이 기간 유료가입자 수를 끌어들인 작품은 오리지널 예능 '사상검증구역: 더 커뮤니티'와 JTBC가 방영한 '연애남매'가 꼽혔다.

지난 1월 공개된 더 커뮤니티는 극과 극의 가치관을 가진 출연자 13인이 권력을 차지하기 위해 벌이는 국내 첫 이념 서바이벌이다. 종영 직후인 지난달 역주행 돌풍이 불면서 일일 신규 유료가입 견인지수가 방영 전후보다 종료 직후 4배 이상 증가했다.

같은 기간 연애남매는 5주 연속 웨이브 신규 유료 가입 견인 지수 1위 자리를 지켰다. 1화 공개 직후에는 입주한 남매들의 가족 관계에 대한 궁금증이 화제가 되며 2화 공개 만에 시청시간이 238% 증가했다고 웨이브 측은 설명했다.[75]

다만 웨이브는 지상파 프로그램의 인기에 따라 MAU가 좌지우지되는 한계가 있다. 이런 점

74) 웨이브, 나무위키
75) 웨이브, 1인당 평균 사용시간 1위 차지…넷플릭스·티빙 제쳐, 매일일보, 2024.04.15

을 감안해 웨이브는 2025년까지 콘텐츠에 총 1조 원을 투자하기로 하는 등 오리지널 영화와 드라마 제작에 시동을 걸었다. 웨이브는 오리지널 영화 확보를 위해 400억 원의 사모펀드를 조성했고, 첫 투자작인 영화 ‘젠틀맨’을 2023년 개봉했다. 임시완, 손현주 주연의 드라마 ‘트레이서’도 선보여 사랑을 받았다.[76)]

웨이브, 韓 OTT 첫 유럽·오세아니아 진출

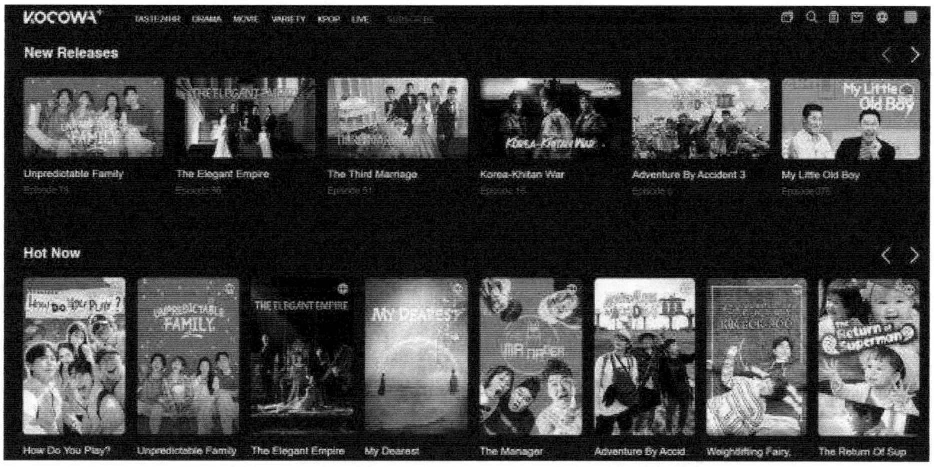

한편, 콘텐츠웨이브가 국내 온라인동영상서비스(OTT) 업체 최초로 유럽·오세아니아 지역에 진출한다는 소식을 전했다. 웨이브는 미주 지역 서비스를 담당하고 있는 자회사 웨이브아메리카(Wavve Americas)를 통해 글로벌 서비스 지역을 확대했다고 밝혔다.

웨이브아메리카는 '코코와(KOCOWA+·Korean Content Wave)를 통해 오랜 기간 축적해 온 서비스 경험과 해외 이용자 데이터 분석을 기반으로 올해부터 글로벌 사업을 본격 확장해 갈 계획이다.

코코와는 현재 제공 가능 언어(영어·스페인어·포르투갈어)를 기반으로 영국·아일랜드·스페인·포르투갈·호주·뉴질랜드 등 39개국에 서비스를 시작했다. 이번 신규 글로벌 서비스에 이어 단계적으로 유럽 서비스 지역 추가 확장을 계획하고 있다.

그간 웨이브아메리카는 미국·캐나다·멕시코·브라질 등 미주 지역 35개국에 코코와를 서비스해 왔다. 코코와를 통해 '약한영웅 클래스1', '박하경 여행기' 등 웨이브 오리지널 콘텐츠도 함께 현지인들에게 제공했다. 현지 스마트TV를 비롯해 구글TV, 아마존프라임비디오, 애플TV, 라쿠텐 비키, 로쿠, 컴캐스트 엑스피니티, 주모(Xumo), 콕스 등과의 제휴를 통해 다양한 K콘텐츠를 공급하고 있다.[77)]

76) ‘1강’ 넷플릭스 뜻밖 주춤… 웨이브-티빙은 줄달음.2021.8.12.dongA.com
77) 웨이브, 韓 OTT 첫 유럽·오세아니아 진출, 아주경제, 2024.04.03

웨이브는 최근 국내 OTT 최초 공개한 '메리 앤 조지'가 최단 시간으로 웨이브 미국·영국드라마 1위에 올랐다고 밝혔다.

메리 앤 조지는 가난한 귀족 여성 메리가 왕실 권력을 차지하기 위해 아들인 조지를 국왕 제임스 1세의 애인으로 만들려 치밀한 계략을 세우는 암투극이다. 메리 앤 조지는 영국 역사상 가장 큰 영향력을 떨친 빌리어스 가문에 대한 실화와 벤자민 울리의 책 'The King's Assassin'을 기반으로 제작돼 시대극이 주는 서사에 몰입도를 더한다.

웨이브를 통해 북미 지역보다 빠르게 전회차 공개됐으며 공개와 동시에 해외시리즈 부문 신규 유료 가입 견인 콘텐츠, 시청 시간, 시청자 수 등 주요 시청 성과 지표에서 가파른 속도로 1위에 올랐다.

이는 웨이브가 국내 독점 공개해 역대 최고 기록을 세운 '왕좌의 게임' 프리퀄 HBO '하우스 오브 드래곤'과 비슷하며 동기간 하이틴 장르로 주목을 받은 '유포리아' 보다 빠른 성과다.

한편, 웨이브는 2023년 누적 시청 데이터(2023.01.01~2023.11.30)를 바탕으로 '2023 웨이브 어워즈'를 발표했다. 드라마, 예능, 시사교양, 애니메이션, 영화 총 5개 부문에서 누적 시청 시간을 기준으로 '올해의 콘텐츠'를 선정했다.

웨이브 이용자들의 누적 시청 시간이 가장 많은 드라마는 '모범택시'가 차지했다. 예능은 '런닝맨', 시사교양은 '꼬리에 꼬리를 무는 그날 이야기'가 지난해에 이어 올해도 1위 자리를 지켰다.[78]

'모범택시'는 16부작 드라마로, 베일에 휩싸인 택시회사 무지개 운수의 멤버들이 피해자의 억울함을 풀어주는 사적 복수 대행극이다. 피해자의 억울함을 풀어주는 김도기(이제훈 분)는 특수부대 장교 출신으로 어떤 위기 상황에서도 흔들리지 않는 담대함을 가진 인물이다. 대표 장성철(김의성 분)의 권유로 김도기는 무지개 운수에 합류한다. 김도기는 무지개 운수 동료 안고은(표예진 분), 최주임(장혁진 분), 박주임(배유람 분)과 함께 복수 대행에 나선다. 그들의 목표는 정의가 실종된 사회에서 억울하게 피해를 본 사람을 돕는 것이며, 법의 심판을 받아야 하지만, 사각지대 안에서 살아가고 있는 사람이 무지개 운수의 주 타깃이다. 하지만 서울 북부검찰청의 열혈 검사 강하나(이솜 분)가 실종된 전과자의 행적을 추적하다가 무지개 운수와 김도기의 정체에 의심하게 된다는 전개다. '모범택시'는 동명의 웹툰을 원작으로 하지만 단순히 실사화한 것에 그치지 않고, 캐릭터 '강하나'를 추가하면서 새로운 갈등구조를 만들어내 스토리 상의 긴장감을 더했다.[79]

78) '모범택시', '런닝맨', '꼬꼬무' 2023년 웨이브 이용자가 가장 많이 본 콘텐츠, W뉴스룸, 2023.12.26
79) 웨이브 오리지널 '모범택시', 본격 운행 시작합니다.2021.4.21.일간스포츠

'SF8'은 웨이브가 투자하고 한국영화감독조합(DGK), MBC가 기획, 수필름에서 제작한 국내 최초의 영화와 드라마 크로스오버 프로젝트다. 한국판 SF 앤솔러지(anthology) 시리즈를 표방한 'SF8'은 가까운 미래를 배경으로 신기술로 완전한 사회를 꿈꾸는 인간들의 이야기를 담은 8부작 드라마로, 인공지능(AI), 가상현실(VR), 로봇, 게임 등 다양한 소재를 통해 시청자들에게 신선한 충격과 새로운 경험을 선사했다.

'SF8'은 검증된 실력파부터 새롭게 떠오르는 기대주까지 8명의 영화감독이 각각 다채로운 연출을 보여준다. 출연진도 화려하다. 문소리, 이동휘, 이연희, 이유영, 예수정, 염혜란, 고경표, 유이, 최시원, 최성은, 김보라, 하니, 이시영 등 스타 배우들이 프로젝트에 대거 참여했다.

총 8부작으로 이루어진 드라마는 △돌봄 대상 중 누구를 살려야 할지 고뇌에 빠지는 인간보다 더 인간적인 간병 로봇 이야기 '간호중(민규동 감독)' △인공지능 파트너를 뇌에 이식해 살인 사건 수사에 나서는 형사 이야기 '블링크(한가람 감독)' △미세먼지로 인해 계급이 나뉜 세상 청춘들의 이야기를 그린 '우주인 조안(이윤정 감독)' △인공지능 운세 서비스에 의존하게 되는 사람들의 이야기 '만신(노덕 감독)' △가상세계에 갇혀버린 BJ의 이야기를 그린 '하얀까마

귀(장철수 감독)' △증강현실 앱으로 서로의 얼굴을 속이고 만난 남녀의 리얼 공감 로맨스 '증강콩깍지(오기환 감독)' △지구 종말을 막기 위한 초능력자들의 로맨스를 그린 '일주일 만에 사랑할 순 없다(안국진 감독)' △안드로이드가 아들의 영혼을 죽였다고 의심하는 엄마의 이야기 '인간증명(김의석 감독)'등의 8가지 에피소드를 다루었다.[80]

왓챠, 돌파구가 필요하다

'왓챠'는 2012년 한국의 영화평 기록 및 추천 서비스 왓챠를 출시한 ㈜왓챠에서 2016년에 '왓챠플레이'라는 이름으로 런칭한 OTT 서비스이다. 이후 2020년 왓챠가 왓챠피디아로 명칭을 바꾸고, 왓챠플레이가 지금의 왓챠로 이름을 변경하여 지금의 왓챠는 OTT 서비스(구 왓챠 플레이)를 일컫는다. 2022년 10월, 왓챠웹툰이 기존의 왓챠 서비스 내 론칭하면서 영상과 웹툰을 함께 이용이 가능하게 되었다.

2021년에는 '한국판 넷플릭스' 왓챠가 더블유피어와 문화방송(MBC) 자회사 블렌딩의 합병을 결정했다. 지난 2011년 설립된 왓챠는 별점 데이터 기반의 콘텐츠 추천·평가 서비스인 '왓챠피디아' 운영을 시작으로, 2016년 넷플릭스처럼 국내외 영화·드라마를 볼 수 있는 온라인동영상서비스(OTT) '왓챠플레이'를 시작했다.

금융감독원 감사보고서에 따르면, 2023년 왓챠는 매출 438억원, 영업손실 221억원을 기록했다. 매출은 전년 대비 41.0%(2022년 743억원) 감소했지만, 555억원이었던 영업손실은 60.1% 줄였다.

그렇다고 재무적 상황이 좋아진 건 아니다. 영업손실이 줄어든 건 지난해 왓챠가 대규모 구

80) 웨이브 오리지널 시네마틱 드라마 'SF8' 전편 공개. 2020.7.11. SEN 서울경제TV

조조정을 단행하고, 자회사 '블렌딩(음원 제작·유통업체)'의 경영권을 매각하는 등 비용 절감에 집중한 결과다.

문제는 이런 상황에서 왓챠의 인기마저 빠르게 식고 있다는 점이다. 앱 분석 서비스 모바일인덱스에 따르면, 지난 3월 왓챠의 월간활성화사용자수(MAU)는 전년 동기(69만명) 대비 14.4% 빠진 59만명을 기록했다. 과거 어깨를 나란히 했던 경쟁업체 티빙이 691만명, 후발주자인 쿠팡플레이가 779만명을 기록한 것과 비교하면 성적이 초라하다.

OTT의 핵심 경쟁력으로 꼽히는 '오리지널 콘텐츠'가 턱없이 부족하다는 것도 왓챠의 문제점이다. 2021년 웹드라마 '좋좋소'의 명성은 온데간데없이 사라진 지 오래다. 왓챠는 지난 2월 7일 드라마 '미나씨, 또 프사 바뀌었네요?'를 선보였는데, 이는 무려 1년 2개월 만에 론칭한 오리지널 콘텐츠였다. 티빙이 지난해에만 '방과 후 전쟁활동' '이재, 곧 죽습니다' 등 5편의 드라마를 론칭한 것과 대조적이다.

왓챠가 그동안 다른 OTT와의 경쟁에서 살아남을 수 있었던 건 두꺼운 마니아층 덕분이었다. 사용자가 직접 콘텐츠를 평가하는 기능인 '왓챠피디아'도 왓챠를 특별하게 만들었다. 왓챠는 '왓챠피디아'를 통해 7억개의 사용자 평가 기록을 확보했고, 이를 기반으로 소비자에게 최적화한 콘텐츠 추천 기능을 제공해 왔다.

하지만 오리지널 콘텐츠뿐만 아니라 볼 만한 작품 자체가 부족한 지금은 마니아층도 왓챠피디아도 별 도움을 줄 수 없다. 왓챠에 당장 필요한 건 원활한 콘텐츠 수급밖에 없다는 얘기다.[81]

왓챠의 새로운 서비스, '왓챠파티'

왓챠는 스트리밍 서비스를 즐기는 새로운 방식 '왓챠파티'를 제시하여 이용자들의 뜨거운 반응을 이끌어냈다. '왓챠파티'란 친구와 함께, 같은 콘텐츠를 시청하며, 동시에 채팅도 할 수 있는 새로운 기능이다. 우선 보고싶은 콘텐츠를 고르고, '재생' 버튼 옆 '같이보기' 아이콘을 누르면 왓챠파티가 시작된다. 기존 이용자들은 스마트폰과 태블릿 등 개인화된 기기에서 혼자 스트리밍 서비스를 즐기는데 익숙하지만 '왓챠파티'를 통해서 여러 사람들과 영상을 함께보며 채팅을 나눌 수 있어서 소통하는 즐거움을 발견할 수 있다.

81) "좋좋소가 어쩌다…" 토종 OTT 왓챠 솟아날 구멍 있나, 더스쿠프, 2024.04.13

‘왓챠파티’는 누구나 참여할 수 있는 상영회로, 호스트가 파티방을 개설하면 누구나 참여해 함께 콘텐츠를 시청하면서 대화를 주고받을 수 있는 기능이다. 직접 방을 개설할 때는 카카오톡이나 페이스북 등 사회관계망서비스(SNS)를 통해 함께 영상을 시청할 사람을 초대할 수 있다.

왓챠파티는 콘텐츠를 보는 양태도 변화시켰다. 왓챠파티를 통해 상영횟수가 급격히 증가한 부문은 ‘공포물’, ‘애니메이션’이었다. 공포 영화의 평균 재생수 상승률이 약 400%, 애니메이션의 평균 재생수 상승률은 약 630%에 달했다. 또한 2000년대 초반에 인기를 끌었던 옛날 콘텐츠를 역주행시켜 상위권에 등장시키기도 했다.

이에 대하여 왓챠 관계자는 “공포물이나 매니아 층이 두터운 애니메이션의 경우, 왓챠파티를 통해 함께 시청함으로서 즐거움이 배가 된다는 평이 많았으며, 왓챠파티는 개인화된 시청 문화로 인해 이용자들이 놓치고 있었던 소통의 즐거움, 함께 보는 즐거움을 선사하며 언택트 시대에 지인과 모여 콘텐츠를 즐길 수 있는 좋은 대안 문화 활동”이라고 언급했다.[82]

최근에는 온라인으로만 즐길 수 있었던 ‘왓챠파티’를 극장으로 가져왔다. 왓챠는 매월 셋째 주 수요일 열리는 ‘왓챠파티@무비랜드’를 통해 구독자들이 좋아하는 콘텐츠를 공유하며 소통을 이어가겠다는 입장이다.
왓챠파티@무비랜드는 누구나 신청을 통해 참여할 수 있지만, 소위 말하는 '피켓팅(피 튀기는 티켓팅)'을 거쳐야만 티켓을 손에 넣을 수 있다. 딱 30명까지 관람할 수 있는 소규모 극장이기 때문에 관객 모집 게시글이 올라오는 시간에 맞춰 선착순에 들어야 영화를 관람할 수 있는 자격이 주어진다.[83]

왓챠, 브랜드 고객충성도 대상 ‘7년 연속 1위’

왓챠는 국내외 유수의 OTT 브랜드를 제치고 ‘2024 브랜드 고객충성도 대상’에서 7년 연속으로 대상을 수상하며 구독자와 MZ세대의 꾸준한 지지를 다시금 확인했다.
왓챠는 전년도에 이어 브랜드 신뢰, 브랜드 애착, 타인 추천 의도, 전환 의도 등 4개 조사항목에서 가장 높은 점수를 기록했으며, 20~30대 사이에서 많은 평가를 받았다.

---

82) 왓챠, 왓챠파티 수 30만 돌파 콘텐츠 시청의 트렌드 열다, 인사이트, 2021.7.29
83) 왓챠, "저희 극장 열었어요"…왓챠파티 오프라인으로 확장, 클로벌이코노믹, 2024.03.20

왓챠는 10년 이상 축적된 7억 1천여개의 콘텐츠 별점 평가 데이터와 고도화된 추천 알고리즘을 통해 개인의 취향에 최적화된 콘텐츠를 추천하고, 국내 최초로 동시 다중 감상 기능인 '왓챠파티'를 선보여 편의성을 높였다.

한글자막 서비스 콘텐츠를 지속해서 확충하는 데 이어, HDR10+ 및 돌비 비전, 돌비 애트모스 등 최신 영상 음향 기술을 적용해 고품질의 시청 환경을 마련하는데 앞장서 왔다.[84]

왓챠, '스페셜 큐레이터 9인의 문화다양성 콘텐츠 큐레이션 공개'

왓챠는 문화체육관광부·한국문화예술위원회와 함께 '2024 문화다양성 주간' 캠페인을 열고, 스페셜 큐레이터들이 엄선한 왓챠의 문화다양성 작품 큐레이션전(展) '경계에 꽃이 핀다'를 소개한다고 밝혔다.

'세계 문화다양성의 날'을 맞아 선보이는 '경계에 꽃이 핀다' 큐레이션전에는 가수 안예은, 작가 이금이, 정보라, 조해진, 송길영, 배우 예수정, 서울대 국악과 교수 안나 예이츠, 정치학자 김지윤, 기자 안톤 숄츠 등 9인의 셀럽이 스페셜 큐레이터로 참여했다.

스페셜 큐레이터들이 주목한 콘텐츠로는 ▲일본 드라마 '언내추럴'(가수 안예은) ▲영화 '라이스보이 슬립스'(작가 이금이) ▲영화 '거인'(작가 조해진) ▲영화 '괴물'(배우 예수정) ▲'에브리씽 에브리웨어 올 앳 원스'(작가 송길영) ▲영화 '그린 북'(정치학자 김지윤) ▲영화 '디스트릭트9'(기자 안톤 숄츠) 등 12개 작품이 선정됐다.

이민자 가족, 성적 지향성, 인종차별 등 여러 요소를 조명하는 작품들을 통해 문화다양성의 가치에 대해 고민해 보고, 서로 다른 문화적 정체성을 지닌 경계인을 마주하게 된 우리 사회에서 필요한 마음가짐에 대해 생각해보자는 의미를 전달한다.[85]

---

84) 왓챠, '브랜드 고객충성도 대상' OTT 7년 연속 1위, 이데일리, 2024.05.07
85) 왓챠, '스페셜 큐레이터 9인의 문화다양성 콘텐츠 큐레이션' 공개, 월요신문, 2024.05.21

오리지널 콘텐츠 개발을 위한 공모전 진행

한편, 왓챠는 2020년부터 오리지널 콘텐츠 개발을 위해 '왓챠 시리즈·영화 공모전'을 진행해오고 있다. 1회에는 총 상금 5000만원 규모로 진행되었으며 장르 구분없이 회당 20분 내외 에피소드 8개 이상으로 구성된 시리즈 기획안과 시나리오가 대상이다. 독특하고 탄탄한 이야기를 가진 대한민국 국민 누구나 응모할 수 있으며 단, 공동 집필은 불가하며 개인당 한 편으로 응모 작품 수를 제한했다.

'제1회 왓챠 시리즈 각본 공모전' 결과, 대상 '공단'을 포함해 총 5편의 수상작을 선정했다. '공단'은 개성공단에서 일하던 북한 여인과 남한 여인이 서로와의 교감을 통해 성장하고 연대하며 희망과 사랑을 찾게 되는 이야기다. 대상에 선정된 전설 작가에게는 상금 2000만원이 수여됐다.[86)]

86) 제1회 왓챠 시리즈 각본 공모상 대상에 '공단', 아시아경제, 2020.12.29

2021년에는 '제 2회 왓챠 시리즈·영화 공모전'을 개최했다. 총 240분 이상의 시리즈물의 기획안 및 대본 혹은 90분 이상의 장편 상업영화의 기획안 및 시나리오면 응모 가능하며 장르와 소재는 자유이며 응모 작품 수는 개인당 한 편으로 제한하며 공동 집필은 불가능했다.

2회 공모전의 총 상금액은 최대 1억원으로, 시리즈·영화 두 부문에서 총 10편을 뽑아 대상은 2000만원, 우수상은 1000만원, 장려상은 500만원의 상금을 각각 수여했다.

'제 2회 왓챠 시리즈·영화 공모전'은 시리즈, 영화 두 부문에서 총 700여편이 접수됐고 대상은 시리즈 부문에서 김미경 작가가 응모한 작품 <골드 더스트>가 수상했다.

시리즈 부문 대상을 수상한 <골드 더스트>는 괴식물에 감염돼 모두가 괴물이 되어가는 세상 속에서 인간답기를 포기하지 않는 사람들을 둘러싼 재난 드라마로, 참신한 설정과 시대 상황을 반영한 스토리라인을 기반으로 흡입력으로 전개가 돋보이는 작품이다.[87]

2022년에는 왓챠가 장르 전문 스토리 프로덕션 안전가옥과 함께 원천 IP(지식재산권) 발굴을 위한 '2022 안전가옥·왓챠 스토리 공모전: 이중생활자'를 개최했다. 응모 자격은 상업적으로 활용되거나 타 공모전 수상 이력이 없는 사람으로, 독창적인 창작물을 대상으로 했다.[88]

국내 OTT 업체와 방송사들의 오리지널 콘텐츠 확보 경쟁이 치열하게 벌어지고 있다. 이들은 각종 공모전을 통해 참신하고 감각적인 작품의 지식재산권(IP)을 확보하고 오리지널 콘텐츠 제작에 나선다는 방침이다. 글로벌 OTT 업체 넷플릭스에 비해 오리지널 콘텐츠 수가 절대적으로 부족한 토종 업체들이 대대적인 반격을 준비하는 것이다.[89]

마. 실감 콘텐츠

인간의 오감을 자극하는 체험, '실감 콘텐츠'

실감콘텐츠, 실감형 콘텐츠란 디지털콘텐츠에 실감기술을 적용하여 인간의 오감 자극을 통해 정보를 제공해 실제와 유사한 체험(현실감)을 가능하게 하는 콘텐츠를 말한다. K-ICT 표준화 전략맵에서는 'ICT를 기반으로 인간의 감각과 인지를 유발하여 실제와 유사한 경험 및 감성을 확장하는 기술'로 정의함과 동시에 오락, 문화, 방송, 교육, 국방, 의료 등 다양한 분야에서 보고, 듣고, 만지고, 공감할 수 있는 체험형 콘텐츠로도 설명하고 있다.

---

87) '제 2회 왓챠 시리즈·영화 공모전' 대상에 <골드 더스트>, 이데일리, 2022.02.14
88) 왓챠, 안전가옥과 '2022 스토리 공모전' 개최, 하비엔뉴스, 2022.03.16
89) 왓챠·CJ ENM이 공모전 여는 까닭은?, 한경라이프, 2020.09.01

소비자의 시각에서 실감형 콘텐츠는 표현 방식에 있어서 기존의 평면적인 디지털 콘텐츠와 뚜렷하게 차별화되는 입체감과 풍부한 표현력을 가진 콘텐츠를 떠올리게 된다.

가상현실, 증강현실, 홀로그램, 오감 미디어 등이 대표적인 실감형 콘텐츠의 예가 되고 있다. 특히 차세대 네트워크로 주목 받고 있는 5G의 상용화와 함께 실감형 콘텐츠의 대중화에 대한 기대감이 높아지고 있다. 실감형 콘텐츠는 게임, 영화를 넘어 다양한 분야로 확대될 것이며, 교육 분야에서 차세대 활용기술로 많은 관심을 받고 있다. 다음에서는 실감형 콘텐츠를 **가상현실(VR), 증강현실(AR), 혼합현실(MR)**의 세가지 분류로 알아보고자 한다.

1) 가상현실

가상현실(Virtual Reality, VR)이란 실재하고 있지 않은 환경을 실제로 존재하는 것과 같이 사용자에게 제공해 줄 수 있는 기술이며, 현실과 유사한 환경을 가상현실 기술을 통해 구현하고 이것을 사용자가 상호작용하며 실제와 유사한 경험을 통해 몰입할 수 있는 가상의 공간을 의미한다.

이때, 만들어진 가상의(상상의) 환경이나 상황 등은 사용자의 오감을 자극하며 실제와 유사한 공간적, 시간적 체험을 하게 함으로써 현실과 상상의 경계를 자유롭게 드나들게 한다. 또한 사용자는 가상현실에 단순히 몰입할 뿐만 아니라 실재하는 디바이스를 이용해 조작이나 명령을 가하는 등 가상현실 속에 구현된 것들과 상호작용이 가능하다. 쉽게 떠올릴 수 있는 가상현실 시스템의 예로는 비행훈련시뮬레이션과 3D로 표현되었으며 사용자의 의지가 반영될 수 있는 세컨드라이프와 같은 게임이 있다.[90]

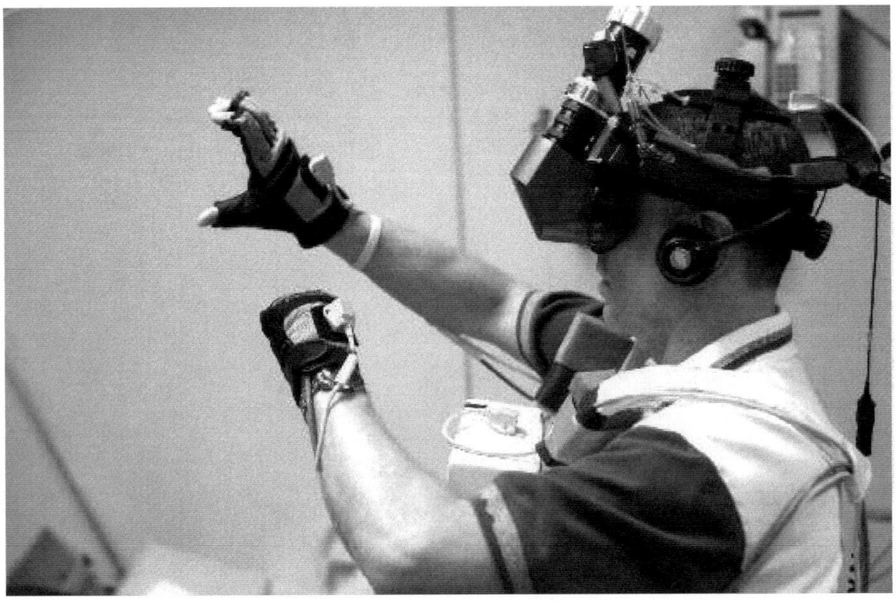

가상현실을 설명하는 데 필요한 요소는 '3차원의 공간성', '실시간의 상호작용성', '몰입' 등이다. 3차원의 공간성이란 사용자가 실재하는 물리적 공간에서 느낄 수 있는 상호작용과 최대한 유사한 경험을 할 수 있는 가상공간을 만들어 내기 위해 현실 공간에서의 물리적 활동 및 명령을 컴퓨터에 입력하고 그것을 다시 3차원의 유사 공간으로 출력하는 데 필요한 요소를 의미한다. 3차원 공간을 구현하는 데 필요한 요소는 그것을 실시간으로 출력하기 위한 컴퓨터와 키보드, 조이스틱, 마우스, 음성 탐지기, 데이터 등이 있으며 이러한 장비들을 통해 사용자는 가상현실에 더욱 몰입할 수 있다.

가상현실 시스템은 3차원 시뮬레이션을 통해 실제 같은 효과를 부여하는 시스템으로서 시스템이 사용되는 환경에 따라 몰입형 가상현실(immersive VR), 원거리 로보틱스(tele-robotics), 데스크톱 가상현실(desktop VR), 삼인칭 가상현실(third person VR)로 나뉠 수 있다.

90) Toptal [https://www.toptal.com/virtual-reality/virtual-reality-in-the-automotive-industry 자동차 산업의 가상 현실

가상현실의 분류	정의
몰입형 가상현실 (immersive VR)	HMD(Head Mounted Display), 데이터 장갑(data glove), 데이터 옷(data suit) 등의 특수 장비를 통해 인간이 실제로 보고 만지는 것 같은 감각적 효과를 느끼게 해 생생한 환경에 몰입하도록 하는 시스템을 말한다.
원거리 로보틱스 (tele-robotics)	몰입시스템+로봇의 형태이다. 로봇을 이용하여 먼 거리에 있는 공간에 사용자가 현전하는 효과를 주는 시스템을 말한다.
데스크톱 가상현실 (desktop VR)	일반 컴퓨터 모니터에 간단한 입체안경, 조이스틱 등만 첨가하여 책상 위에서 쉽게 만날 수 있는 가상현실 시스템을 말한다.
삼인칭 가상현실 (third person VR)	비디오카메라로 촬영된 자신의 모습을 컴퓨터가 만들어내는 가상공간에 나타나게 하여 자신이 가상공간에 직접 존재하는 것처럼 느끼게 하는 시스템을 말한다. 주로 오락용으로 많이 쓰이며 대표적인 예로 Xbox 키넥트(KINECT)가 있다.

가상현실의 뜻은 다양한 사람들이 다양하게 정의하고 있다. 하지만 공통적인 요소를 정리해 본다면 '컴퓨터 기술을 통해 인간의 오감을 자극하여 현실과 유사한 또 다른 현실을 창조하는 활동'이라 할 수 있을 것이다. 즉 일정한 틀을 가진 것이 아니며 모든 상상할 수 있는 환경자체가 가상현실의 범위 안에 들어갈 것이다.

초기에는 Synthetic Environments, Cyberspace, Artificial Reality, Simulation Technology 등 다양하게 명명되었지만, 최근에는 주로 가상현실(Virtual Reality; VR)로 불리고 있다.[91]

가상현실은 넓은 의미에서, 현실 세계를 기반으로 가상을 더 하는 증강현실(Augmented Reality)과 가상세계를 기반으로 현실을 더하는 증강 가상(Augmented Virtuality)으로 구분하기도 한다. 최근에는 AR과 VR의 융합이 점점 더 강화됨에 따라 혼합 현실(Mixed Reality)이라는 용어가 널리 사용되고 있다.

그렇다면 사람은 어떻게 가상현실을 체감할 수 있게 되는 것일까? 가상현실은 단순히 이용자들에게 시야를 가득 매우는 화면을 보여 주기만 해서는 구현되지 않는다. 기본적으로 가상현실을 이용자들이 체감할 수 있도록 만들기 위해서서는 이용자의 동작에 반응하고 상호 작용을

91) 위키백과, 가상현실

기본 요소로 한다. 즉, 같은 콘텐츠를 즐기더라도 어느 곳을 이용자가 보고 있느냐에 따라 화면을 보여주고, 다른 결과를 안겨 줘야 하는 것이다.

이를 위해서 이용자에게 보여주는 화면은 기존의 카메라처럼 한 곳만을 바라보고 촬영되어서는 안 된다. 이곳저곳 방향을 바꾸고 시선을 옮김에 따라 펼쳐지는 화면은 달라야 하므로 가상현실을 위한 가상 콘텐츠는 3D로 만들어진 인물과 공간이 필요하며, 촬영영상은 전방위를 촬영할 수 있는 새로운 장비 '360도 카메라'가 필요하다. 또한 360도 카메라로 촬영한 영상을 표시할 디스플레이, 여기에 이용자의 시선이 어디를 향하고 있는지 계측하고 이 신호를 송출할 수 있는 조작 장비가 더해지면 가상현실을 위한 최소한의 필요 요소는 모두 마련된다.

그렇다면 사람이 이러한 3차원을 보게 되는 과정은 어떠할까. 사람의 눈에서 시각 정보를 받아들이는 망막은 평면이지만 우리는 3차원을 보며 생활하고 있다. 여기에서 우리가 주목해야 할 것은 뇌이다. 사람의 뇌, 특히 후두엽이 3차원을 인식 혹은 지각하도록 돕는다.

뇌는 사람의 두 눈을 통해 들어온 시각정보를 통합하여 재구성한다. 위치가 다른 사람의 두 눈을 통해서 들어온 정보에는 차이가 있다. 우리는 이것을 양안시차(Binocular disparity)라고 말한다. 이렇게 수집된 이미지는 각각의 시신경을 거쳐 뇌로 전달되고 뇌는 이 정보를 통합하여 입체로 인식하게 된다.

이처럼 사람이 현실세계를 3차원으로 인식하는 것은 사실 2차원의 이미지가 뇌를 통해 3차원으로 인식되는 것처럼, 가상현실도 2차원 디스플레이 장치에서 보내진 정보를 뇌를 통해 3차원으로 인식하게 하는 것이다.

가상현실에 대해 접하다보면 HMD(Head Mounted Display)를 자주 접할 수 있다. HMD는 이름 그대로 머리에 착용하는 디스플레이로, 주로 가상현실, 증강현실의 구현을 위해 사용된다. 가상현실 HMD에는 렌즈가 사용되고 있다. 지금부터 HMD에 왜 렌즈가 사용되는지, 그리고 그 렌즈가 어떻게 작동하는지 살펴보도록 하자.

다음 이미지는 일반적인 사물을 바라볼 때의 현상을 보여주고 있다. 일반적으로 사람이 사물을 바라볼 때 사물의 상은 동공과 수정체를 거쳐 망막에 맺히게 된다.

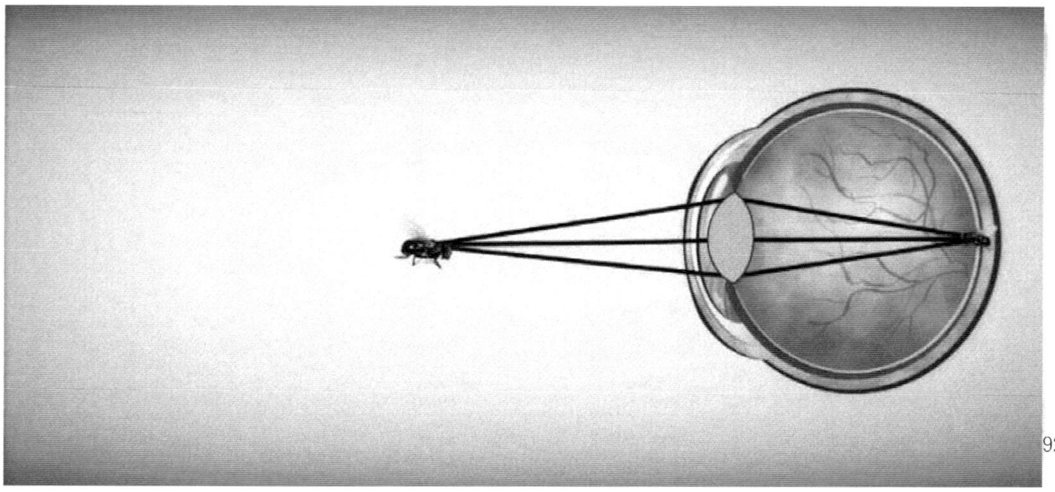 [92]

일반적인 사물을 바라볼 때의 현상

하지만 가상현실 HMD의 경우 사람의 눈 앞 3 ~7cm 이내에 디스플레이 장치가 놓이게 된다. 하지만 이처럼 대상 이미지가 사람의 눈에 너무 근접하게 되면 망에 초점이 정확히 맺히지 않는다.

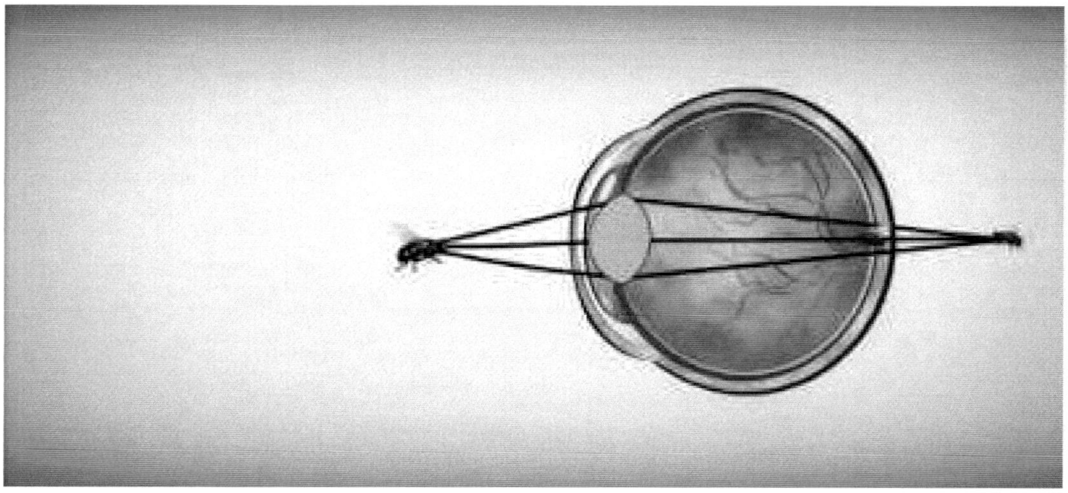 [93]

사물이 너무 가까울 때

따라서 위의 그림과 같은 잘못된 초점을 보정하기 위해 HMD는 렌즈를 사용한다. 이때 사용되는 렌즈는 근접한 거리의 대상이 아래의 이미지처럼 망막에 맺도록 보정해 주는 기능을 한다.

92) 3D 가상현실을 보는 원리, http://truemind1.blogspot.kr/
93) 3D 가상현실을 보는 원리, http://truemind1.blogspot.kr/

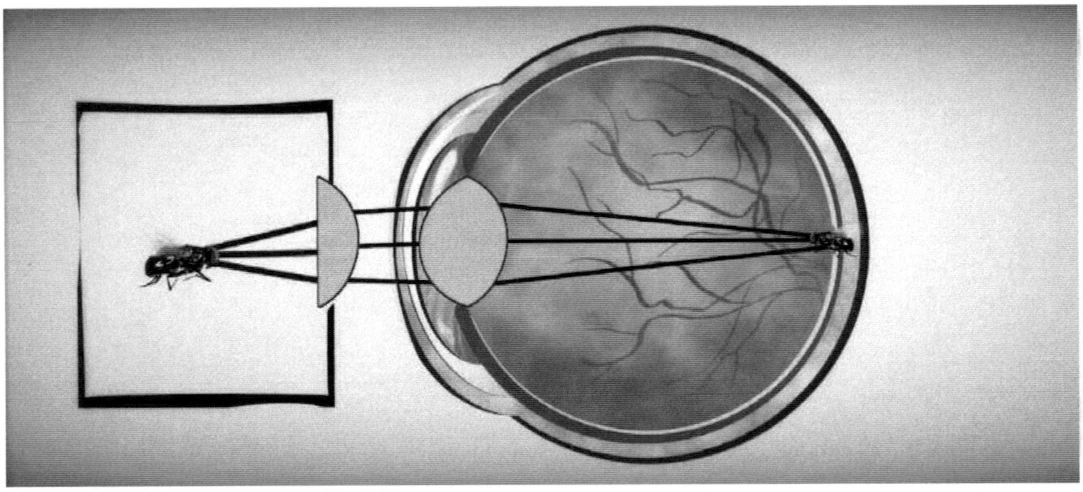

HMD 렌즈를 사용하는 경우

하지만 HMD에서는 근접한 거리의 대상이 망막에 맺히도록 하는 것 외에도 바로 눈앞의 디스플레이 장치의 대상이 조금 먼 시야의 공간에 있는 것처럼 보이게 할 필요가 있다. 이를 위해서는 렌즈의 굴곡을 변화시켜야 한다.

렌즈의 굴곡을 변화시키면 아래의 그림처럼 눈앞의 HMD 안에 사물이 있는 것이 아니라 HMD 밖의 공간에 있는 것처럼 가상현실 내의 사물을 보이게 할 수 있다. 하지만 이때 일반적인 1개의 볼록렌즈로 이를 해결 하다면 렌즈의 크기와 무게가 커지는 문제가 발생한다.

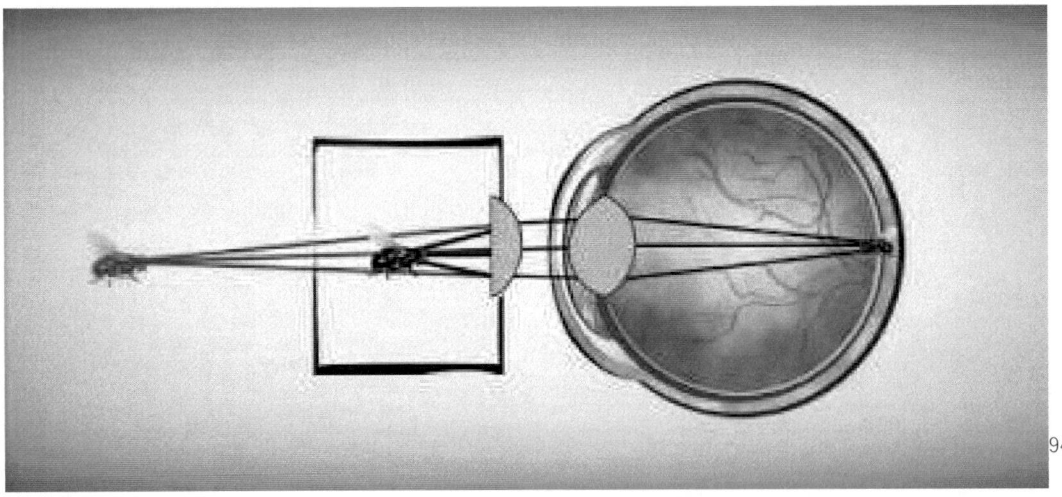
[94]

1개의 볼록렌즈만을 사용하는 경우

94) 3D 가상현실을 보는 원리, http://truemind1.blogspot.kr/

이 문제를 해결하기 위한 방법으로 프레넬이라는 사람이 개발한 프레넬 렌즈[95]가 있다.

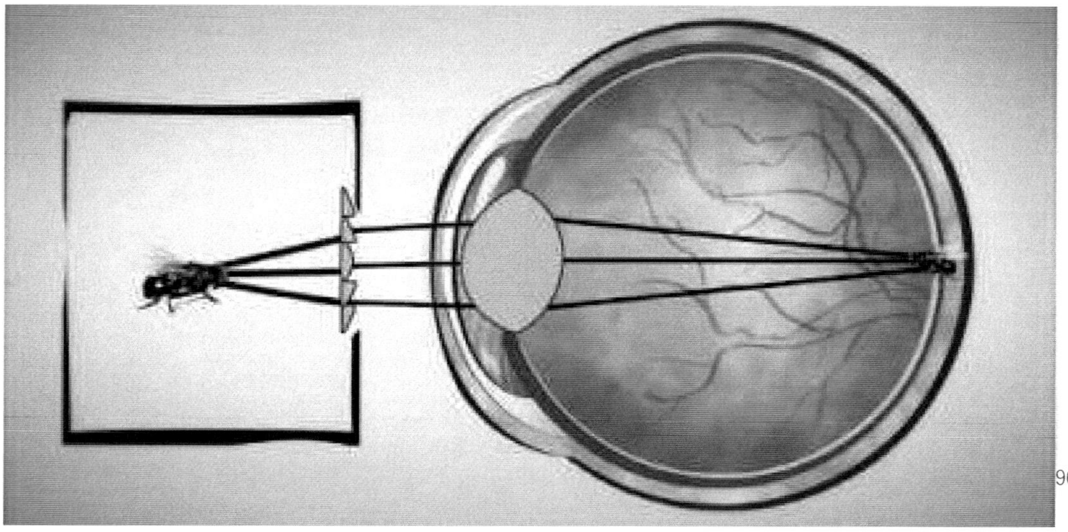
[96]

프레넬 렌즈를 사용하는 경우

프레넬 렌즈는 아래의 그림과 같은 원리로 빛이 특정 초점에 보이도록 한다.

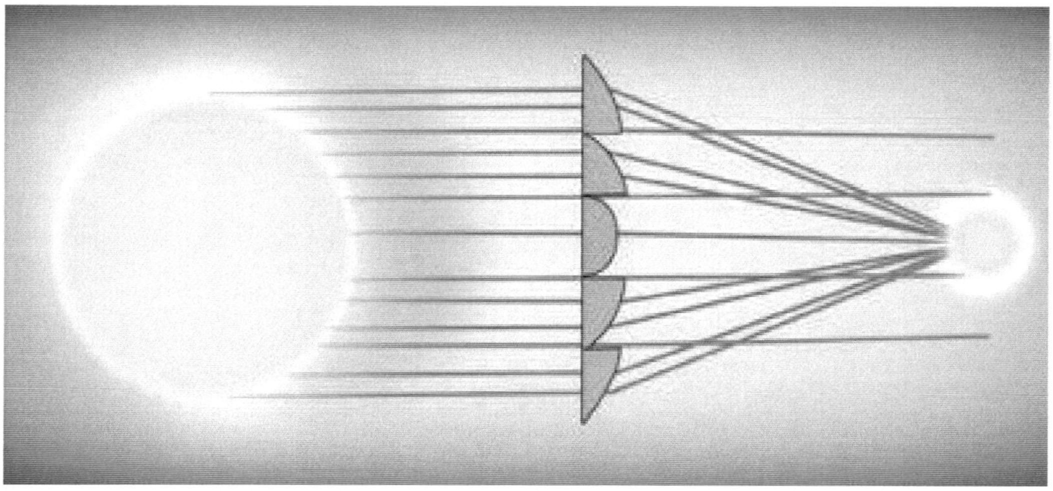

프레넬 렌즈의 원리

95) 렌즈의 두께를 줄이기 위해서 수개 또는 여러개의 동그라미띠 모양의 렌즈로 분할한 렌즈. 렌즈의 두께를 크게하지 않고 구경이 큰 렌즈를 만들 수 있다. (출처 : 네이버 지식백과)
96) 3D 가상현실을 보는 원리, http://truemind1.blogspot.kr/

2) 증강현실

증강현실(Augmented Reality, AR)은 가상현실(VR)의 한 분야로 실제로 존재하는 환경에 가상의 사물이나 정보를 합성하여 마치 원래의 환경에 존재하는 사물처럼 보이도록 하는 컴퓨터 그래픽 기법이다. 디지털 미디어에서 빈번하게 사용된다.

증강현실 스마트폰 팹2 pro (출처:Lenovo)

세계 최초의 AR폰 '팹2 프로'는 구글의 AR 플랫폼이 적용된 스마트폰이다.

완전한 가상 세계를 구성하는 가상현실과는 다르게 증강현실은 현실에 부가적인 정보를 보여주는 특징을 가진다. 최근에는 혼합현실(Mixed Reality) 등의 용어도 언급되고 있다. 혼합현실은 현실 환경과 가상현실 사이에 존재하는 모든 층위를 포함하는 개념으로, 증강현실 또한 혼합현실에 포함된다. 최근에는 증강현실, 가상현실, 혼합현실과 같은 모든 관련 기술들을 통칭하기 위해 XR 이라는 용어도 활용되고 있다. XR에서 X는 변수로 VR/AR 및 MR의 모든 기술을 통칭한다.[97]

증강현실의 핵심 기술로는 디스플레이 기술, 인식 기술, 합성 기술을 꼽을 수 있겠다. 가장 먼저 AR 디스플레이 기술 중 가장 일반적으로 사용되는 디스플레이는 'HMD'로서 머리에 착용할 수 있는 형태와 그렇지 않은 'Non-HMD'로 분류된다.

HMD 형태의 디스플레이 장치는 대부분 증강현실 시스템에서 가장 많이 사용되는 디스플레이 장비로 Optical see-through HMD와 Video see-through HMD로 구분된다.

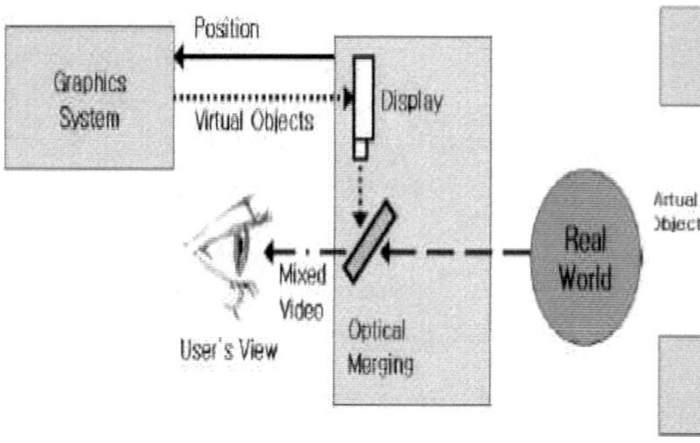

자료출처: www.se.rit.edu/~jrv/ressarch

Optical see-through HMD

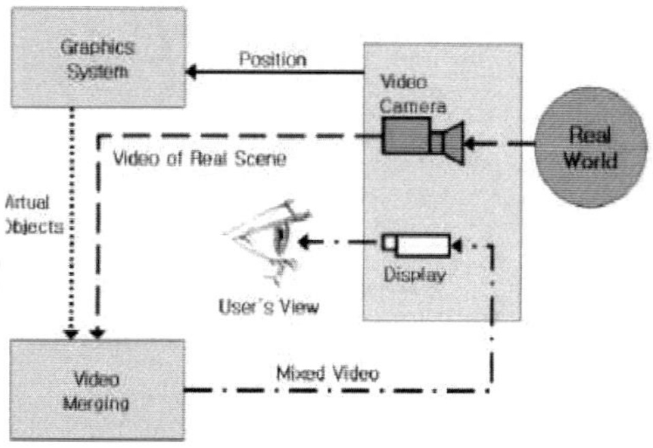

자료출처: www.se.rit.edu/~jrv/ressarch

Video see-through HMD

Optical see-through HMD는 위의 그림에서 보는 바와 같이 사용자의 눈앞에 반투과성 광학 합성기(optical combiner)가 부착되어 있으며, 사용자는 광학 합성기를 통해 실세계 환경을 직접 보면서, 광학 합성기로 투사되는 가상 영상을 동시에 볼 수 있다. 그러나 광학 합성기를 통해 보는 실세계 모습은 빛이 100% 투과되지 않아 실제보다 어둡게 보이며, 가상 영상 역시 선명하게 볼 수 없다는 단점이 있다. 또한 실세계 환경은 해상도와 관계없이 항상 볼 수 있으나, 가상 영상에서는 해상도의 영향을 많이 받는 단점이 있다.

Video see-through HMD는 위의 그림에서 보는 것처럼 실세계 환경에 대한 영상을 획득하기 위하여 HMD에 1개 이상의 카메라가 별도로 설치되어 있다. 그리고 비디오 합성기를 이용

97) VR/AR, 비현실의 현실화, 삼성증권, 2019.07.12

하여 카메라로부터 입력되는 실세계 영상과 컴퓨터에서 생성한 가상 영상을 합성하여 HMD에 부착된 LCD와 같은 디스플레이 장치에 보여 주게 된다.

현재 개발된 HMD는 컴퓨터에서 생성한 가상 영상 스트림과 카메라를 통해 얻은 실세계 영상 스트림을 합성하기 위해서 비디오 합성기와 같은 별도의 부가 장치가 필요하다. 하지만 HMD를 착용함으로써 사용자의 불편이 가중될 뿐만 아니라 고가의 부가장치들이 추가되어야 하므로 자연스럽게 제작비용이 증가하게 된다.

이러한 문제점을 해결하기 위해 Non-HMD(Non-Head Mounted Device)가 사용된다.

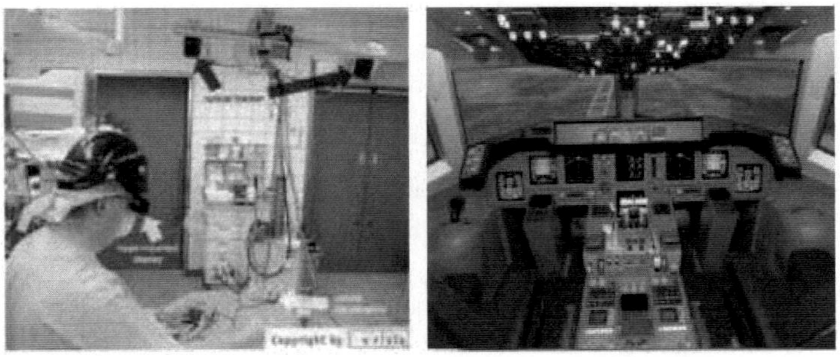

자료출처: www.augmented-reality.org

Non-HMD(Non-Head Mounted Device)

Non-HMD(Non-Head Mounted Device)는 소형 및 대형 디스플레이 장치로 구분되는데, 소형 디스플레이 장치는 의료 분야와 같이 좋은 해상도의 결과 영상이 필요하고, 무거운 HMD를 착용할 수 없는 특수한 환경에서 사용된다. 대형 디스플레이 장치는 1대 이상의 프로젝터 또는 CRT와 같은 모니터로 구성된 대형 스크린에 나타나는 3차원 오브젝트를 셔터 안경을 착용한 사용자가 보는 방법으로 구성된다. 이러한 디스플레이 장치는 비행 시뮬레이터, 다중 참여 사무실과 같은 응용 분야에서 사용된다.

다음은 AR 인식 기술이다. 마커인식 기술이란 컴퓨터 Vision 기술로 인식하기 용이한 임의의 물체를 의미한다. 주로 검정색 바탕의 특이한 생강이나 문양이 사용되며, 경우에 따라서는 기하학적인 형태나 3차원 객체를 이용하는 경우도 있다.

증강현실은 현실 영상과 가상의 그래픽을 접목하여 보여주기 때문에 이 때 정확한 영상을 얻기 위해서 가상 객체들을 화면에서 원하는 자리에 정확히 위치시켜야 한다. 이 부분을 구현하기 위해서는 가상 객체에 대한 3차원 좌표가 필요하며, 이 좌표는 카메라를 기준으로 하는 좌표 값이 되어야 한다. 따라서 카메라의 영상에서 현실 세계의 어떤 지점이나 물체에 대한 카메라의 3차원 좌표를 확보해야 하는데, 이를 위해서는 2대 이상의 카메라가 필요하게 된다. 하지만 현실적으로 증강현실 시스템에서 사용하는 카메라의 수는 대부분 한 대를 사용하기 때문에 3차원 위치 파악을 하기가 쉽지 않다. 따라서 이에 대한 대책으로 마커 인식 기술이 사용되고 있다. 대부분의 증강현실 시스템은 주로 마커를 이용해 상대적 좌표를 축출하고 가상 영상을 실제 영상에 합성시킨다.

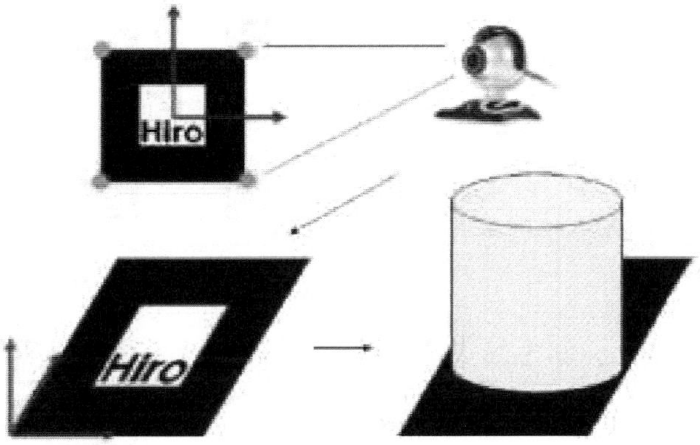

자료출처: 정보통신연구진흥원 ITFIND

마커 인식 과정

마커 인식 과정은 다음과 같다. 먼저 카메라에 찍힌 화면을 컴퓨터에서 넘겨받은 뒤, 흑백 화면상에서 검은 영역만을 따로 분리해 낸다. 분리해낸 영역 중에서 검은색 사각형이 될 만한 영역을 따로 찾아낸 후, 그 사각형 영역 내부에 있는 패턴을 미리 기록해 놓은 마커의 이미지 패턴과 비교함으로써 둘 사이의 유사성을 찾고, 패턴이 일치하는 것으로 파악되면 그 사각형 영역의 네 꼭짓점 정보를 이용해서 마커의 위치를 파악하게 된다.

마커가 정사각형이므로 실제로 3개의 점, 즉 2개의 직각으로 만나는 선이 얻어지므로 나머지 한 선은 쉽게 얻어지며, 이들로 이루어지는 좌표계를 얻을 수 있다. 최종적으로 라이브러리에서는 이러한 좌표계와 가상공간상의 좌표계 사이의 매트릭스 정보 와, 그 때의 마커의 위치를 제공하게 된다.

그리고 이를 우리가 만든 시스템에서 이용하기 위해서 얻어진 좌표를 가상공간의 좌표계로 변환시킨 뒤, 가상 공간상의 물체의 위치와 실제 물체의 위치를 상대적으로 나타낸 뒤, 카메라를 통해 얻어지는 화면 위에 가상 공간상의 물체를 그려내면 되는 것이다. 이를 통해서 가상 공간상의 물체를 증강 현실상에 존재하는 것처럼 보일 수 있다.

마지막으로 AR 합성기술이다. 효율적인 증강현실 시스템은 실제와 가상을 통합해야 하며 실시간으로 사용자와 상호 작용이 이루어져야 한다. 또한 입체적인 3차원 공간에 이질감 없이 부드럽게 정합이 되어야 한다. 실제로 사용자들은 가상물체가 실물처럼 정확하게 움직이지 않는 것보다 시각적인 불일치(또는 어긋남)에 더욱 민감하게 반응한다.

이런 문제점을 개선하기 위해서는 카메라의 특성을 잘 파악하여 가상의 물체와 실제 환경의 3차원 좌표를 정확히 일치시켜야 한다. 특히, 실시간으로 사용자와 가상 물체 간에 상호작용을 통해 사용자로 하여금 더욱 현실감을 느끼게 할 수 있지만 실시간으로 입력되는 교정되지 않은 영상에서는 가상 물체를 합성시키기 위해서는 실제 카메라의 파라미터를 정확히 알아내는 카메라 교정 작업이 필수적이다.

영상 합성 기술은 크게 카메라 교정기술을 통한 합성과 카메라 교정기술 없이 합성하는 방법 2가지로 구분할 수 있다. 카메라 교정기술을 통한 합성을 하는 이유는 실제 환경에 가상 물체를 위치 시켰을 때 어색함이 없이 자연스럽게 합성되어야 하는데 실제로는 다양한 오차(정 적 오차, 렌더링 오차, 동적 오차) 등으로 쉽게 구현되지 않는다.

이러한 점들을 해결하기 위해 '카메라 교정 장비 및 3차원 위치 센서를 이용한 방법'과 '시각 기반 기법'을 이용하고 있다. 그러나 카메라 교정 장비 및 3차원 위치 센서 등을 이용한 방법은 고가의 장비 및 제한된 취득 환경을 요구하는 단점이 있다.

시각 기반 기법은 카메라 이외의 다른 장비를 사용하지 않고 취득한 영상만을 이용해 카메라를 교정하는 기법이다. 이 기법은 사전에 알고 있는 체크 패턴을 실제 세계에 포함하여 그 패턴이 투영된 영상을 이용하여 카메라를 교정하는 방법이다. 이 방법은 비교적 정확한 카메라 파라미터를 얻어낼 수 있으나 영상 내에 항상 사전에 알고 있는 패턴이 존재해야 함으로 증강현실 분야에 적용하는데 다소 제한 사항이 있다.

최근 카메라 교정기술 없이 영상을 합성하는 기술도 다각도로 연구되고 있다. 어파인(Affine) 카메라라는 가정 하에, 카메라 교정단계가 없이 사용자가 지정 한 4쌍의 대응되는 어파인 기점을 이용해 비디오 영상 내에 가상 물체를 합성 시키는 방법이 있으며, 사영(Projective) 카메라 모델에서 각 영상에서의 많은 대응점을 이용해 증강현실을 구현하였다. 이러한 방법들은 사전의 교정 패턴이 요구되지 않은 장점은 있으나, 사용자에게 모호한 기저점의 지정을 요구하기 때문에 기저점으로 나타낼 만한 패턴이 없는 경우 어긋난 기저점의 선택에 따른 큰 오차를 낳을 수 있으며, 결국 가상물체의 정합 오차로 인한 부자연스러운 증강현실을 초래한다.

3) 혼합현실

혼합현실의 정의

그렇다면 증강현실과 가상현실이 융합된 혼합현실이란 무엇일까? 혼합현실은 1994년 폴 밀그램(Paul Milgram)에 의해 구체화되었다. 혼합현실(Mixed Reality)은 현실 세계와 가상 세계가 혼합된 상태로, 현실을 기반으로 가상 정보를 부가하는 증강현실(Augmented Reality)과 가상 환경에 현실 정보를 부가하는 증강 가상(Augmented Virtuality)의 의미를 포함하고 있다.

즉, 혼합현실은 완전 가상 세계가 아닌 현실과 가상이 자연스럽게 연결된 스마트 환경을 사용자에게 제공하여, 풍부한 체험을 제공한다. 일기 예보나 뉴스 전달을 위한 방송국 가상 스튜디오, 스마트폰이나 스마트안경(스마트 글래스)에서 촬영한 영상을 바탕으로 보여주는 지도 정보, 항공기 가상훈련, 가상으로 옷을 입어볼 수 있는 거울 등으로 다양한 분야에서 사용된다.[98]

기술적으로 접근했을 때 혼합현실이란 '증강현실과 가상현실을 통합하고 사용자와의 인터랙션을 더욱 강화한 방식'을 말한다. 즉 현실과 증강현실, 가상현실의 요소가 모두 혼합된 상태를 구현하는 것이다. 이런 기술적 목표 구현을 위해선 어떠한 기술 혁신이 선행돼야 할지 다음에서 알아보고자 한다.

98) '첨단'과 '상상' 입은 기술, 혼합현실(MR)을 아세요?, 삼성뉴스룸, 2017.06.21

① 오디오 장치

우선 현실·가상현실·증강현실 정보를 동시에 보고 들으며 몰입감을 느낄 수 있게 해주는 장비가 필요할 것이다. 현실 상황을 그대로 느끼는 동시에 현실에 없는 내용을 시각적으로 볼 수 있게 해주는 비디오 장치, 현실에 없는 소리를 청각적으로 들을 수 있게 해주는 오디오 장치가 그것이다.

예를 들어 당신이 체육관에 친구들과 앉아 교사의 지시대로 가운데 빈 공간을 보고 있는데, 갑자기 바닥이 갈라지며 엄청나게 큰 고래가 솟구쳐 뛰어오른다. 고래와 함께 흩어지는 물살과 물거품의 모습을 보는 건 물론이고 그 큰 덩치가 바닷물을 가르는 소리, 그 여파로 크고 작은 물결이 흩어져 철썩거리는 소리도 들을 수 있어야 한다.

② 센서

다음으로 사용자 행동이 가상공간에 반영되게 되려면 사용자의 움직임을 파악하는 센서와 이를 전달해 움직임의 결과 상황을 만들어내는 장치가 필요하다. 예를 들어 가상의 공간에서 어떤 물체를 움직인다고 하자. 이는 신체의 물리적 움직임이 객관적 대상의 위치에 변화를 일으키는 일반 물리적 과정과 기본적으로 같은 원리로 진행된다. 사용자가 물리적 힘을 가할 때 그 정보를 파악해 그 힘이 작용하는 대로 가상의 물체가 움직이는 것처럼 보이도록 우리 눈에 정보를 쏴주는 것이다. 차이는 이때 객관적 대상이 실제 물체가 아니라 가상의 물체란 것뿐이다.

물론 혼합현실 프로그램 과정은 여느 물리적 과정과 다르다. 가장 큰 차이 중 하나가 같은 공간에 있지 않아도 같은 정보를 공유할 수 있단 사실이다. 사용자와 물체의 움직임을 카메라로 포착, 같은 프로그램에 로그인된 타인도 볼 수 있게 하는 것이다. 그 결과, 아주 멀리 떨어져 있는 곳의 사람들도 그 과정을 실시간으로 공유하며 집단지성을 발휘할 수 있게 된다.

마지막으로, 이 모든 장비는 사용자가 착용하고 일상적 활동을 무리 없이 할 수 있을 만큼 구조적으로 간단하고 가벼워야 한다. 이 부분은 기술 혁신이 가장 많이 이뤄져야 하는 부분이기도 하다.

4) 최근이슈

"전남도립대, 실감형 콘텐츠 분야 인재 양성 나서"

올해 5월, 전라남도립대학교는 한국산업인력공단의 일학습병행 실감형(AR·VR) 콘텐츠 맞춤형 개발사업에 선정됐다고 밝혔다.

전남도립대는 이번 사업 선정에 따라 총 2억 원의 국비를 확보, 2025년 2월까지 고온·고압·누전 등 위험 요소에 의한 사고 가능성이 큰 산업 분야 실감형 콘텐츠를 개발하게 된다. 개발된 콘텐츠는 향후 한국산업인력공단에서 NCS학습모듈로 등록해 학생과 산업체 종사자들의 교육자료로 활용 될 예정이다.

일학습병행 실감형 콘텐츠를 이용하면 증강현실(AR)과 가상현실(VR)을 활용해 근로자가 현장에서 발생할 수 있는 산업재해 사례를 간접 체험하고, 실제 사고 발생 시 필요한 대응 능력을 안전하게 반복 습득할 수 있다. 일반 훈련 방식에 비해 사고위험과 비용이 줄고 효과는 커져 현장 투입 전 필요한 훈련 기간도 단축할 수 있다.

전남도립대는 또한 지역 산업체와 협력해 현장 실무 중심 교육을 더욱 강화하고, 졸업생의 취업 경쟁력을 높이는 데 주력할 방침이다.[99]

99) 전남도립대, 실감형 콘텐츠 분야 인재 양성 나서, 노컷뉴스, 2024.06.12

리콘랩스, 실감형 3D 콘텐츠 기술 소개

리콘랩스가 미국 캘리포니아 롱비치에서 열리는 XR 전시 'AWE 2024(Augmented World Expo 2024)'에 참여한다고 밝혔다. 리콘랩스는 실감형 3D 콘텐츠를 자동으로 생성하는 기술을 바탕으로 북미지역 파트너십 구축에 나설 예정이다.

XR 환경 구축 과정에서 현실감 있는 콘텐츠 구현이 가장 중요하다. 현실과 유사한 몰입감을 제공할수록 도입 효과가 높아지기 때문이다. 해상도가 떨어지거나 완벽한 입체감을 제공하지 못하면 콘텐츠를 즐기는 데 멀미, 구토 등 부작용이 발생하고 이질감이 생기기 때문에 트레이닝, 교육, 마케팅, 엔터테인먼트 등 XR 활용 산업에서는 퀄리티 높은 실감형 콘텐츠를 확보하기 위한 노력을 기울이고 있다.

그러나 고가의 장비, 전문인력 부족, 기존 3D 제작 기술의 한계 등 다양한 요소로 인해 실감형 콘텐츠를 확보하는 데 어려움이 있는 것이 현실이다. 리콘랩스는 NeRF(Neural Radiance Fields) 기반으로 단시간 내에 3D 모델을 생성할 수 있는 기술을 보유하고 있다. 기존 사진측량 기반 3D 모델링 기술(photogrammetry)로 표현하기 어려웠던 투명한 재질, 빛 반사, 물체의 거친 표면도 실물과 유사하게 구현한다. 우수한 기술력을 바탕으로 국내외 유명 가구, 헬스케어, 가전 브랜드에 3D 콘텐츠를 공급하고 있다.

이번 전시에서는 전문 촬영장비와 소프트웨어가 없어도 간편하게 3D 콘텐츠를 생성하고 활용할 수 있는 설루션을 소개할 예정이다. 스마트폰으로 촬영한 영상을 웹에 업로드하면 자동으로 3D 모델이 생성되고, 이를 활용하면 웹뷰어 및 AR뷰어에 연동할 수 있으며 디지털 화보 제작도 가능하다. 전반적으로 3D 활용 과정에서 생산성이 높아져 ESG 경영 실천에도 기여한다고 볼 수 있다.

리콘랩스는 3D 콘텐츠를 활용한 대표적인 사례인 이머시브 3D 룩북(Immersive 3D Look Book)을 현장에서 시연할 예정이며 XR 기술사 및 3D 콘텐츠를 비즈니스에 적용하고자 하는 북미 기업과의 협업을 모색한다.[100)]

"보훈부, 선열들 헌신 체험하고 역사 배우는 실감형 콘텐츠 공개"

국가보훈부는 6월 호국보훈의 달을 맞아 전국의 현충시설 등 보훈 현장을 찾아 숨겨진 보물을 찾으며 선열들의 국가를 위한 헌신을 체험하고 역사를 배울 수 있는 실감형 콘텐츠 '내셔널 트레저'(National Treasure)를 다음 달 1일 공개하고 오는 10월 말까지 운영한다고 밝혔다.

보훈부에 따르면 모바일 기기를 활용하는 내셔널 트레저는 콘텐츠 속 할아버지가 남긴 낡은 수첩을 발견하고 그 안에 적힌 장소를 방문, 수수께끼 문양이 그려진 보물상자를 찾아 할아버지가 숨겨놓은 보물의 정체를 밝히는 형식으로 구성됐다.

보훈부는 콘텐츠의 몰입감을 높이기 위해 근거리무선통신(NFC), 증강현실(AR), 위치확인시스템(GPS) 등 다양한 디지털 실감 기술을 활용했다. 콘텐츠 참여를 위해선 구글 플레이 또는 애플 스토어에서 '리얼월드' 애플리케이션을 내려받아야 한다.

관계자는 "국민, 특히 젊은 세대들이 보훈을 일상에서 쉽고 즐겁게 접하면서 국가를 위한 희생과 헌신에 감사의 마음을 전하는 일상 속 살아있는 보훈, 모두의 보훈 구현을 위해 보다 다양한 문화콘텐츠를 개발하고 선보일 수 있도록 노력하겠다"라고 말했다.

---

100) 리콘랩스, 美 AWE 2024서 웹 기반 실감형 콘텐츠 제작 3D 모델링 엔진 소개, AIVNG NEWS, 2024.06.10

"익산 미륵사 중문, 디지털 콘텐츠로 복원"

전북자치도 익산시가 백제문화를 대표하는 미륵사의 복원 과정과 사계절을 첨단장비를 통해 선보인다. 국가유산청(전 문화재청) 출범일을 기념해 미륵사 중문(中門) 디지털 복원콘텐츠 체험서비스를 시작했다.

익산 미륵사지의 디지털 복원은 2022년 새 정부가 출범하며 국정과제로 채택됐다. 국립문화재연구원은 지난해 미륵사 중문을 증강현실 기술을 통해 실감형 콘텐츠로 복원, '스마트글래스와 태블릿PC'로 국민들에게 시연해 호응을 이끌었다.

디지털 복원콘텐츠로 구현된 미륵사 중문은 2008년부터 연구한 고증 결과에 따라 두 가지 모습으로 볼 수 있다. 미륵사의 동·서원 중문은 단층, 중원 중문은 2층 규모로 평공포와 하앙구조를 가지고 있다.

참가자들은 증강현실로 구현된 미륵사 중문을 체험기기로 관람하며, 직접 중문을 부재별로 해체해 보고 전시 해설사를 통해 설명을 들을 수 있다.

시 관계자는 "미륵사의 디지털 복원이 중문을 시작으로 첫걸음을 내디뎠다"며 "회랑과 각 건물, 목탑까지 미륵사의 온전한 모습을 제공할 예정"이라고 밝혔다.[101]

101) 익산 미륵사 중문, 디지털 콘텐츠로 복원…체험 서비스, NEWSIS, 2024.05.17

“충북에너지산학융합원, 이차전지 제조공정 실감형 콘텐츠 공개”

충북에너지산학융합원(원장 탁송수)은 23일 융합원 세미나실에서 '이차전지 제조공정 실감형 콘텐츠 활용방안 세미나'를 개최했다. 이차전지 제조공정을 현실감 있게 체험, 이해할 수 있는 콘텐츠가 공개돼 눈길을 끌었다.

이번 세미나는 2021년 산업통상자원부 이차전지 소재부품 시험평가센터 구축 공모사업의 일환으로 배터리 제조·검증 지원센터 내 구축된 이차전지 제조공정 시설에 대한 실감형 콘텐츠를 충북에너지산학융합원이 컨소시엄 기관으로 참여하여 콘텐츠를 제작하게 됐다.

이날 공개된 콘텐츠는 청주 오창의 BST(Battery Safety Testing) ZONE에 위치한 배터리 제조·검증 지원센터를 배경으로 메타포트 실감형 콘텐츠 기술을 도입하여 센터 내 공간을 디지털 공간으로 변환하였으며, 배터리 제조공정 동영상, 제조 과정의 이해를 돕기 위한 모션그래픽, 설비 제원 등 센터를 방문하는 사용자에게 이차전지 제조공정에 대한 정보와 이해를 돕기 위한 콘텐츠로 제작됐다. 특히, 실감형 콘텐츠를 배터리 제조·검증 지원센터 이용자 안내자료로 활용하는 방안과 기업 재직자 및 학생을 대상으로 교육자료 활용 등 사업 성과확산에 대한 다양한 논의가 진행됐다.

“SKT, 메타버스 팬 커뮤니티 K-POP호텔 오픈”

SK텔레콤[017670]은 메타버스 서비스인 이프랜드에 K팝(K-POP) 아이돌과 글로벌 팬들이 만날 수 있는 커뮤니티인 'K-POP 호텔'을 연다고 밝혔다.

K-POP 호텔은 호텔 전 층을 조망할 수 있는 인트로 화면, 1층부터 99층까지 각 아이돌이 층별로 체크인하는 아티스트 라운지, 멤버별 특색을 담은 멤버룸 등 3가지 공간으로 구성됐다.

K-POP 호텔의 첫 손님은 99층에 체크인하는 에스파와 2층에 체크인하는 이프랜드 대표 걸그룹 이프랜디스다. 이달 말과 9월에는 라이즈와 산다라박이 차례로 체크인할 예정이다.

아티스트 라운지에서는 아티스트 게시판부터 뮤직비디오, 대형 아트월, 볼류메트릭 등 다양한 콘텐츠를 즐길 수 있다.

멤버룸에서는 스타 관련 퀴즈를 풀어야 볼 수 있는 시크릿 액자, 시간대별로 아이돌의 모습이 생생하게 바뀌는 볼류메트릭 3D 모션 등 콘텐츠를 만나볼 수 있다.

K-POP 호텔은 향후 팬 미션을 비롯해 인공지능(AI) 기능도 새롭게 적용할 예정이다.

SKT 메타버스 CO 담당(부사장)은 "이프랜드가 제공하는 3D 몰입형 아티스트 콘텐츠와 참여형 팬미션을 통해 팬과 아티스트 간에 확장된 소통을 기대한다"고 말했다.[102)]

"구미시, 국내 첫 '경북도 국제 AI·메타버스 영화제' 연다"

북 구미시는 국내 최초 '2024 경상북도 국제 AI·메타버스 영화제'를 개최한다고 밝혔다. 금오산 잔디광장 등 구미시 일원에서 열린다.

'예술과 기술의 융화, 새로운 창작과 국제교류 확장성'을 주제로 다양한 프로그램으로 꾸몄다.

포럼, 레드카펫, 개막식, 영화 상영회, 코스프레 이벤트, 체험부스 등 볼거리가 준비돼 있다.

---

102) SKT, 메타버스 팬 커뮤니티 'K-POP 호텔' 오픈, 연합뉴스, 2024.06.09

15일 오후 7시 금오산 잔디광장에서 열리는 개막식에는 이철우 경북도지사, 김장호 구미시장, 이장호·양윤호·장철수 영화감독, 홍보대사인 배우 정태우, 서지수 등 국내·외 영화인들이 대거 참석한다.

그랙 슈렝크 미국 뉴포트비치 영화제 조직위원장과 알틴벡 막수토프 키르기스스탄 문화부장관, 키르기스스탄 스마트폰 영화제 조직위원장, 태국 영화제작사 엠플로우 민트 대표 등 세계 각국 영화계 인사들이 참석해 자리를 빛낸다.

주제공연인 VR 드로잉 퍼포먼스, 가수 노라조, 린의 축하공연도 흥을 돋운다

공모전을 통해 선정된 출품작과 교류영화제 초청작, 특별상영작 등 총 48편을 상영한다.

구미지역 멀티플랙스 영화관(롯데시네마 프리미엄 구미센트럴 3관, 5관)과 구미영상미디어센터(김유영관)에서 무료로 관람할 수 있다.

롯데시네마 구미센트럴 2개관에서는 양경미 영화평론가, 소희정 박사의 진행으로 이장호, 장철수, 권한슬 감독 등 영화인과 관객들이 직접 만나 영화에 관해 대화하는 GV(Guest Visit) 행사를 마련해 관객들의 영화감상에 재미를 더할 전망이다.

김장호 구미시장은 "노잼도시 구미가 라면축제, 달달한 낭만 야시장 등이 시민들에게 사랑받는 구미대표 볼거리, 즐길거리로 자리잡으며 문화와 낭만이 있는 낭만문화도시로 변화하고 있다"며 "이번 영화제가 AI·메타버스와 영화의 만남이라는 문화예술의 새로운 패러다임을 제시하

고 시민들에게 또 다른 즐거움을 선사해줄 것으로 기대한다"고 말했다.[103]

"OTT업계, 실감콘텐츠 시장에 뛰어들어, 버추얼 스튜디오 설립"

국내 OTT업계도 증강현실(AR), 가상현실(VR) 구현이 가능한 가상 스튜디오 '버추얼 스튜디오'를 설립함으로써 하나둘씩 실감콘텐츠 시장에 뛰어들고 있다. 버추얼 스튜디오를 구축하면 VR, AR같은 미래형 기술들을 효율적으로 제작 가능하다. CG기술과 VFX로 작업한 결과물을 촬영 현장에 실시간으로 반영할 수 있어 콘텐츠의 완성도는 높이고 시간과 비용을 효율적으로 절감할 수 있다.

wavve

SKT는 자회사 '웨이브'의 오리지널 콘텐츠 제작을 위해, 버추얼 프로덕션 전문 스튜디오 '비브스튜디오스'에 지분을 투자한 것으로 알려졌다. 비브스튜디오스의 'VIT'기술은 LED월을 활용해 실감형 콘텐츠 제작 전과정을 실시간으로 확인해 시간과 비용을 효율적으로 절감할 수 있고 현장에서 작업 결과물을 직접 실시간 반영 가능해 현재 코로나19 여파로 현장 로케이션이 여의치 않은 제작 환경에서 각광받는 기술이다. SKT 관계자는 "현재 자사가 보유한 버추얼밋업, 점프AR 등과 비브스튜디오스의 3D 영상 제작 기술을 결합해 국내 최고 수준의 실감형 콘텐츠 역량을 갖출 계획"이라며 "콘텐츠 인프라를 강화해 본격적인 메타버스 서비스 경쟁력 강화에 나설 계획"이라고 말했다.

103) 구미시, 국내 첫 '경북도 국제 AI·메타버스 영화제' 연다, NEWSIS, 2024.06.09

한편, 티빙을 가지고있는 CJ ENM은 축구장 32개 넓이인 6만5000평의 초대형 버추얼 스튜디오를 설립하고 있다고 밝혔다. 이에 약 1800억원이 투자되었다고 덧붙였다. 버추얼 스튜디오 안에는 대형 LED 스크린을 배경으로 촬영과 동시에 특수효과를 줘 그린스크린이나 편집을 거치지 않아 비용을 절감할 수 있다는 장점도 있다.

티빙 관계자는 "자체적 '버추얼 스튜디오'가 구축되면 드라마와 영화뿐 아니라 예능, XR 공연 등 다양한 콘텐츠를 제작할 수 있다는 강점이 있다"라며 "기존의 콘텐츠 역량을 활용해 버추얼 프로덕션 스튜디오에서 제작된 콘텐츠를 티빙과 다른 OTT에도 공급할 계획이다"라고 전했다.

한편, 브이에이코퍼레이션은 '버추얼 스튜디오 개관' 을 통해 다양한 실감형 콘텐츠의 기획부터 제작까지 원스톱으로 가능한 경쟁력을 확보했다. OTT사들에게 주요 콘텐츠를 공급하는 국내 VFX스튜디오들도 버추얼 스튜디오에 대거 투자하며 설립을 추진중이다.

‘신과함께’, ‘승리호’를 제작한 VFX 업체 ‘덱스터스튜디오’는 경기도 파주 일대에 약 43억원 규모의 버추얼 프로덕션 스튜디오를 설립했다. 덱스터 관계자는 “OTT 콘텐츠의 성공 여부는 콘텐츠 제작의 퀄리티로 갈리는 추세”라며 “스튜디오 설립을 통해 시공간의 구애를 받지 않아 제작비와 시간 절감으로 콘텐츠 제작 역량을 강화할 예정”이라고 밝혔다.

업계 전문가는 “콘텐츠 제작사들이 실감형 콘텐츠 우위를 선점하기 위해 ’버추얼 프로덕션 스튜디오‘를 앞다퉈 선보이며 투자를 확대하고 있다”며 “자체적으로 버츄얼 스튜디오를 구축해 웰메이드 콘텐츠를 제작 해내는 기업이 많아지면서 한국의 콘텐츠 산업의 급속한 발전이 예상된다”고 전했다.104)

“인스파이어, 국내 최대 규모 ’ 실감형 미디어아트 전시관 ‘ 오픈”

인천 인스파이어 리조트에 국내 최대 규모로 실감형 미디어아트 전시관이 들어선다.

모히건 인스파이어 엔터테인먼트 리조트는 현대퓨처넷의 미디어 전시 브랜드 ‘르 스페이스 인스파이어’가 새롭게 문을 연다고 밝혔다. 이로써 인스파이어에는 몰입형 디지털 엔터테인먼트 거리 ‘오로라’와 ‘로툰다’ 키네틱 샹들리에에 이어 또하나의 디지털 엔터테인먼트 공간이 들어선다.

104) OTT업계, 실감형 콘텐츠 확보 ‘승부수’.2021.8.13.이뉴스투데이

‘르 스페이스 인스파이어’는 현대백화점그룹 계열 ICT 전문 기업인 현대퓨처넷이 ‘인스파이어 몰’ 내 구축한 국내 최대 규모의 실감형 미디어아트 전시관이다. 르 스페이스 인스파이어는 ‘아르떼뮤지엄’을 성공시키며 실감형 콘텐츠 전시 분야를 선도해 온 현대퓨처넷이 처음 선보이는 프리미엄 미디어 전시 브랜드다.

‘미지 세계로의 여행 (Beyond the Cosmos)’을 주제로 인스파이어 몰 내 약 6142㎥(약 2000 평) 규모로 조성했다. 관람객은 탑승 게이트, 우주정거장을 비롯해 18개로 구성한 다채로운 전시 공간을 따라 이동하면서 새로운 차원의 우주를 여행하는 듯한 디지털 경험을 즐길 수 있다.

기존 미디어아트 감상을 위주로 하던 전시관에서 한 단계 진화해 터치 및 모션 인식, 소리 감지 등의 인터랙티브 기술을 적극 활용한 것이 르 스페이스 인스파이어의 차별점이다. 작품 자체가 움직이는 키네틱아트, 홀로그램 등 다양한 신기술과 관람객의 동선에 의해 완성되는 스토리 연출을 통해 한층 몰입감 높은 디지털 콘텐츠를 선보일 것으로 기대된다.

마이클 젠슨 인스파이어 마케팅총괄책임자는 “현대퓨처넷의 기술력과 창의성이 집약된 차세대 미디어아트 전시관인 르 스페이스를 소개하게 되어 기쁘다”면서 “혁신적인 공간과 콘텐츠를 통해 방문객의 오감을 만족시키며 늘 새로운 영감과 감동을 선사하는 곳이 되겠다”고 말했다.[105]

105) 영종도 인스파이어, 국내 최대 실감형 미디어아트 전시관 오픈, 매일경제, 2024.04.29

"SKT와 만난 독립기념관, ICT 융합 실감형콘텐츠로 무장"

독립기념관은 SK텔레콤(SKT)과 2020년부터 올해까지 5년간 공동 추진한 독립운동사 실감형 콘텐츠 개발사업에 대한 성과를 올해 2월 공개했다.

독립기념관은 2020년 5월 SK텔레콤과 '5GX MEC 기반의 AR·MR에코뮤지엄 구축'을 위한 업무협약을 체결했다. 한국 독립운동사를 주제로 관련 ICT 융합을 통해 특화된 실감형 콘텐츠 개발을 목표했다.

주된 성과는 독립기념관 전역 5GX망 인프라 구축이다. 대용량·고화질의 실감형 콘텐츠를 보다 원활하게 체험할 수 있도록 우선 추진됐다. MR독립영상관에서만 가능했던 실감형 콘텐츠 체험 가능 공간이 상설전시관과 야외로까지 확대됐다.

또 신기술 도입에 따른 실감형 콘텐츠가 개발됐다. 4D영상 콘텐츠의 추가 개발 이외에도 슈퍼노바, 딥페이크, 아나몰픽, AI 미디어 로봇 등 SK텔레콤이 보유하고 있는 ICT를 활용해 한국 독립운동사 주제의 다양한 실감형 콘텐츠를 신규 개발했다.

특히 관람객 모두가 함께 하는 전시 콘텐츠가 조성됐다. 국내 처음으로 영상관(MR독립영상관) 내 '히어링루프'를 도입해 청각약자들이 주변의 잡음없이 깨끗한 음향으로 영상을 관람할 수 있도록 했다.

상설전시관 제6관에는 대형 스크린과 키오스크를 통해 '국민들 각자가 꿈꾸는 발전된 대한민국'을 주제로 한 대국민 그림공모 당선작 77점을 영상 콘텐츠로 소개하고 있다.

올해는 체험형 이동수단과 스마트쉘터(가칭) 신규 도입을 계획하고 있다. 이번 사업은 실내 중심의 관람에서 벗어나 체험형 야외 전시로의 새로운 패러다임 전환을 꾀한다.

독립기념관 관계자는 "올해도 사업을 잘 완수해 ICT 융합을 통한 새로운 역사 체험의 기회를 제공하는 것은 물론 사회적 약자의 문화 접근성 향상 등 모두가 함께 향유할 수 있는 스마트한 독립기념관으로 거듭나기 위해 노력하겠다"고 말했다.[106)]

5) 국내 기술현황

최근 국내 대기업들이 급성장하는 메타버스 산업에서 새로운 먹거리를 찾고 있다. 기술력을 가진 관련 기업과 협력할뿐만 아니라 기업을 인수하며 덩치를 키우고 있다.

실감형 콘텐츠는 가상현실(VR)과 증강현실(AR), 확장현실(XR), 인공지능(AI), 메타버스 등의

106) SKT와 만난 독립기념관…ICT 융합 '실감형콘텐츠'로 무장, NEWSIS, 2024.03.13

첨단기술로 인간의 인지능력과 감각기관을 자극해 가상의 대상, 혹은 상황에 대해 실제와 똑같은 감각적 경험을 제공한다. 실감형 콘텐츠는 관련 응용기술의 발전과 함께 게임과 영화, 광고, 공연, 전시, 교육, 국방, 건설 등 다양한 분야로 활용폭을 넓혀가고 있다.

한국콘텐츠진흥원의 '실감 콘텐츠 실태조사 및 중장기 전략연구'에 따르면 지난 2020년 295억달러 수준이었던 전 세계 VR·AR 시장규모는 연평균 75.7% 성장을 거듭해 오는 2026년에는 8676억달러(약 1154조원)의 거대시장을 형성할 전망이다

K-콘텐츠라는 단어를 유행시킬 정도로 콘텐츠 강국으로 떠오르고 있는 우리나라에선 최근 실감형 콘텐츠 개발과 제작, 배급을 목표로 다양한 스타트업들이 창업되어 활약하고 있어 관심을 끌고 있다.

관련업계에 따르면 실감형 콘텐츠 스타트업 '갤러리엑스(대표 김유나)'는 지난 5일 액셀러레이터(AC) 겸 팁스 운영사인 젠엑시스로부터 시드투자를 받았다. 투자금액은 비공개이다.

이화여대 디자인 대학원 석사 출신인 김유나 대표가 창업한 갤러리엑스는 생성형AI 자동화시스템을 활용한 언리얼엔진 기반 실시간 인터렉티브 콘텐츠 제작 및 온오프라인 확장형 솔루션을 제공하는 업체다.

갤러리엑스는 명품 브랜드 몽클레르, 글로벌 이커머스 파페치 등 브랜드와 디지털 패션을 제작해온 경험이 있으며, W-스타트업 어워즈 본선 입상과 한국콘텐츠진흥원 뉴콘텐츠기업지원센터의 인터랙티브 미디어 분야 우수기업으로 선정된 바 있다.

투자사인 젠엑시스 측은 "이번 투자를 통해 AR/VR 및 AI 등 실감형 기술을 콘텐츠에 접목하여 소비자와 상호작용 가능한 인터랙티브 미디어 콘텐츠 분야에서의 지위를 강화할 것"이라고 말했다.

AR 기반 직업체험 교육 프로그램 제작업체인 '아르스네트워크(대표 박지혜)'도 같은날 젠엑시스로부터 시드투자를 유치했다.투자금액은 비공개이다.

공중파 아나운서 출신인 박지혜 대표가 창업한 아르스네트워크는 AR 체험 장비를 통해 다양한 직업을 체험할 수 있는 콘텐츠를 제작하는 스타트업이다. AR 하드웨어 공급뿐만 아니라 영상 제작·기획·운영, 교사 파견, 교구를 활용한 수업 제공까지 다양한 콘텐츠와 교육 프로그

램을 연계해준다.

아르스네크워크는 비대면 교육의 한계를 극복하기 위해 AR을 활용한 실감형 교육 콘텐츠 및 관련 서비스를 개발하고 있다. 이 회사는 특히 어릴 때부터 스마트폰 사용에 익숙한 세대를 대상으로 한 실감형 교육 콘텐츠 제공에 주력하고 있다.

젠엑시스 측은 “코로나19 팬데믹 이후 비대면 수업은 중요한 학습 방식으로 자리매김하고 있다”며 “이 때문에 AR 기반의 교육 콘텐츠를 개발하는 아르스네트워크는 성장가능성이 높다”고 평가했다.

경량화 3D 엔진 개발업체 ‘아들러(대표 한세진)’도 지난 2일 한국투자액셀러레이터와 에버그린투자파트너스, 씨엔티테크, 블리스바인벤처스, 엔슬파트너스 등으로부터 15억원 규모의 프리A 브릿지 투자를 받았다. 이번 투자유치로 아들러의 누적투자유치액은 46억원을 기록했다.

2021년 8월 설립된 아들러는 3D 앱 개발 난이도를 낮추고 웹 환경과 저사양 디바이스에서도 빠르게 구동되도록 하는 서비스를 개발하고 있다. 이번에 출시되는 애플 비전프로를 비롯한 3D 환경에서 글로벌 표준이 되는 것을 목표로 삼고 있다.

아들러는 올해 다른 개발사도 자사의 3D 기술을 활용할 수 있도록 엔진을 공개할 예정이다. 디지털트윈과 3D게임, 아트페어, Web3 분야의 다양한 기업들이 아들러의 3D 엔진에 높은 관심을 보이고 있다고 회사 측은 전했다.[107)]

“LG유플러스, 메타버스 사업에 힘 쏟아”

LG유플러스가 코로나19 엔데믹 이후 부진을 겪고 있는 메타버스 사업에 힘 쏟고 있어 그 배경에 관심이 쏠린다.

업계에 따르면 LG유플러스는 이달 광주과학기술원(GIST)와 함께 메타버스 플랫폼 구축을 위한 업무협약을 체결했다. 이들은 LG유플러스의 대학 특화 메타버스 플랫폼 '유버스(UVERSE)'에 인공지능(AI) 기술을 접목하는 협력을 우선 추진할 계획이다.

---

107) 연평균 75.7% 급성장 '실감형 콘텐츠' 산업…관련 K-콘텐츠 스타트업들 발빠른 행보, THE STOCK, 2024.02.06

이번 협약은 GIST가 보유한 AI 기술과 LG유플러스의 메타버스 기술을 결합해 학생들에게 보다 효율적인 가상 캠퍼스 이용 경험을 제공하기 위해 마련됐다.

세부적으로는 △AI 메타버스 캠퍼스 구현·운영 △AI 메타버스 캠퍼스 활성화 △실시간 온라인 강의 플랫폼 구성 등 연내 차세대 AI 메타버스 캠퍼스 구축을 위해 협력한다.

지난 달에는 연세대학교 창립 139년 기념식에서 유버스를 통해 연세대 전용 메타버스 캠퍼스 '메타연세'를 공개하기도 했다. 해당 서비스는 연세대의 △언더우드관 △100주년 기념관 △노천 극장 등 신촌 캠퍼스 전체를 3D 가상공간에 구현했다.

LG유플러스는 올해부터 메타연세의 기능을 확대, 학생들의 학업 효율을 높이고 재학생이 정규 고과 강의 및 비교과 과목 수강, 커뮤니티 활동 등을 진행할 수 있도록 기능을 구축한다.

또 지난 4월에는 아이를 어린이집이나 유치원에 보낸 부모를 위해 아이의 활동과 작품을 볼 수 있는 메타버스 전시관 '픽키즈'도 출시했다. 해당 서비스는 SNS에 게시물을 올리듯 사진과 영상을 업로드하면 빠르게 메타버스 콘텐츠로 전환해주는 것이 특징이다.

이처럼 LG유플러스가 공격적인 메타버스 사업 전개에 나서고 있으나, 구체적인 사업 성과를 이룰 수 있을 지에 대해서는 여러 우려가 나오는 모습이다. 코로나19 팬데믹 시절 SKT와 KT 등 타 통신사에서 메타버스 사업을 확대했으나, 엔데믹 전환 후 사업이 한 풀 꺾인 모습을 보이고 있기 때문이다.

LG유플러스 측은 각 통신사마다 사업 모델과 이용 대상 등이 다르기 때문에 직접적인 비교가 어려우며, 메타버스 사업에 대한 활용 사례를 발굴하는 것으로 신사업 진출의 교두보 마련과 특정 고객에 대한 시장 선점 효과를 기대할 수 있다고 설명했다.

LG유플러스 관계자는 "B2B나 B2G(기업-기관 간 거래)의 경우 관계 형성이 매우 중요한데, '유버스'의 서비스 확대 등을 통해 기업 및 기관과의 기술 교류를 확대하고 추후 신사업 전개에 대한 교두보를 마련할 수 있을 것"이라며 "픽키즈 역시 전략적 차워에서 특정 고객을 대상으로 시장 선점 효과를 기대할 수 있다"고 말했다.[108)]

108) LG유플러스, 통신 업계 '아픈 손가락' 메타버스 사업 힘 쏟는 이유는?, 서울파이낸스, 2024.06.14

“(주)디스트릭트코리아,

‘아르떼 뮤지엄’, ‘광화시대’, ‘웨이브’ ”

아르떼뮤지엄은 디지털 매체 기술을 활용한 실감콘텐츠를 통해 혁신적 공간 경험을 디자인하는 기업인 ㈜디스트릭트홀딩스가 운영하는 몰입형 매체예술(미디어아트) 전시관이다. 디스트릭트는 2020년 9월말 제주 애월에서 첫 아르떼뮤지엄을 선보인 이후 영원한 자연(ETERNAL NATURE)이라는 주제 하에 새로운 전시 작품들을 제작하며 국내외 각 지역으로 확산하고 있다. 각 지역별 자연과 문화 유산을 활용해 차별화된 컨셉과 작품들로 구성돼 국민에게 가상공간을 통해 자연의 아름다움과 신비로움을 전해준다.

2020년 문체부의 실감콘텐츠 분야 제작.지원 사업에 선정돼 그 해 제주도를 시작으로 여수와 강릉에 ‘아르떼뮤지엄’을 열었고, 2021년 12월 기준으로 관람객 120만 명에 매출 150억 원을 기록할 정도로 큰 호응을 얻었다.

서울 광화문 주변을 증강현실.인공지능.3차원 매체예술 등 실감콘텐츠로 가득 채운 '광화시대'에 참여해 광화문 일대를 우리나라 과거와 현재, 미래를 경험해볼 수 있는 대규모 문화 체험공간으로 만드는 데 일조했다.

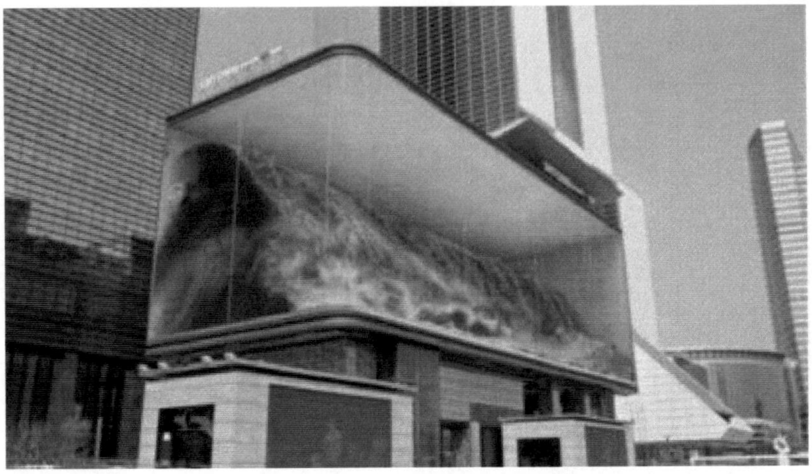

또한, 서울 삼성동 코엑스 대형 전광판에 '웨이브(Wave)'를 시연해 해외 유명 매체에도 소개돼 한류 실감콘텐츠를 세계에 알리고, 기술력과 창의력을 인정받아 세계 3대 디자인상 중 하나인 '독일 아이에프(iF)디자인 어워드'에서 2021년에 금상을 수상했다.[109]

"MBC, 너를 만났다"

2020년 2월 6일에 방영된 MBC 다큐멘터리. MBC 스페셜 시리즈의 한 에피소드이나 실제

109) 실감콘텐츠 실태조사 및 중장기 전략 연구, 한국콘텐츠진흥원, 2023.04.04

방송은 특집 VR휴먼다큐멘터리로 방영되었다. 혈구탐식성 림프조직구증으로 향년 7세에 안타깝게 세상을 떠난 강나연 양과 어머니 장지성 씨가 가상현실 세계에서 만나기까지의 이야기를 담고 있다. 러닝타임은 52분이지만 실제 촬영에는 6개월이 걸렸고, 둘의 만남을 성사 시키는데 1억 원이 넘는 제작비가 사용되었다.

동 프로그램은 모션캡쳐와 3D 스캐닝, 음성 데이터 작업으로 딸의 모습을 구현하여 HMD를 통해 어머니와 소통기술을 통해 이별로 인한 감정을 위로하고 치유하고자 한 시도에 대해 큰 관심을 유발하였다.

최근에는 시즌4가 방영되기도 했다. '너를 만났다4'에서는 어린 나이 급성 뇌출혈로 세상을 떠난 서준 군을 VR로 재회한 가족의 사연이 공개됐다.

부부는 제대로 된 인사도 나누지 못하고 떠나보낸 아들을 만나기 위해 프로젝트에 참여하게 됐다고 밝혔다. 아들과 단 한 번의 만남이 허락된다면, 후회 없는 인사와 못다 한 이야기를 나누고 싶다는 부부. 서준 군과 두 사람의 원활한 상호작용을 위해서는 양방향 소통 기술은 물론 실시간으로 자연스러운 움직임의 변화가 구현돼야 했다.

이에 제작진은 VFX(특수영상) 전문 회사인 PONY, IOFX와의 협업을 통해 '너를 만났다' 시즌 최초로 실시간 양방향 소통을 구현했다. 20대 광학식 카메라를 동원한 모션캡쳐(Motion Capture) 데이터를 체험자의 HMD(Head mounted Display)에 실시간으로 전송, 체험자와 메타휴먼이 서로의 몸짓과 대화에 실시간으로 반응할 수 있도록 수개월에 걸친 테스트 작업을 거쳤다.

“엘지씨엔에스, 모바일 운전면허증”

행정안전부와 경찰청은 2022년 1월 27일부터 운전면허증을 휴대전화기에 저장한 뒤 필요하면 그때그때 꺼내 쓰는 ‘모바일 운전면허증’을 시범 발급했다.

신분증 소지에 따른 불편 해소는 물론 지갑 없는 일상생활을 현실화한 것으로, 모바일 운전면허증은 기존 면허증과 동일한 법적 효력을 가져 공공기관.금융기관.렌터카업체.공항.편의점.여객터미널 등에서 사용 가능하다.

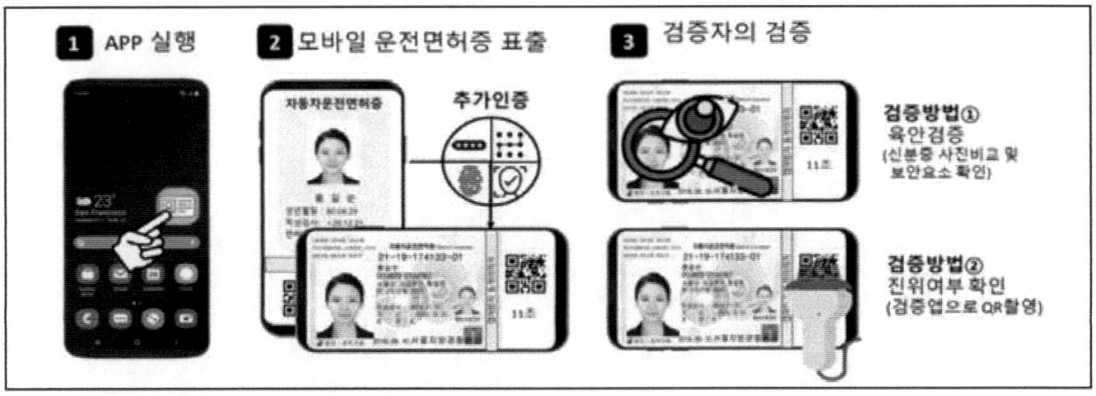

이에 ‘지능형 정부 구현을 위한 모바일 신분증’ 사업에 협력 주관사로 참여한 ㈜엘지씨엔에스는 기존 플라스틱 신분증의 문제점인 분실 위험과 위·변조를 해결하는 동시에 온·오프라인에서 사용할 수 있는 시스템 구축에 힘을 쏟았다.

동시에 ‘안전하고 편리하고 쓸모있게’라는 목표 아래 소중한 개인정보가 유출되지 않도록 꼼꼼하게 챙겼는데, 특히 ‘모바일 운전면허증’은 상대방이 필요로 하는 정보만을 제공할 수 있어 개인정보 유출을 방지할 수 있다.110)

110) ‘이달의 한국판 뉴딜’에 LG CNS의 모바일 운전면허증 등 4개 사례 선정, 열린뉴스통신, 2022.03.17

4. 해외 디지털 콘텐츠 산업

4. 해외 디지털 콘텐츠 산업

국가별 실감형 콘텐츠 시장 규모 및 전망(단위: 백만달러)

(출처: 과학기술정보통신부, 자료 재가공)

구분	2022	2025	2026	2028
미국	18,282	62,657	94,469	214,747
중국	23,623	124,093	215,549	650,349
일본	12,001	42,643	65,072	151,526

[111]

미국, 중국, 일본의 실감형 콘텐츠 시장 규모 및 2022년까지의 꾸준히 성장하는 전망을 보인다. 세계적으로 실감형 콘텐츠 시장을 이끌고 있는 미국은 증강현실 및 가상현실 분야에서 **구글과 애플, 페이스북, 오큘러스** 등의 세계적인 글로벌 기업을 앞세운 지속적인 투자를 통해 새로운 제품 및 기술을 개발함과 동시에 신규 서비스를 출시해 나가고 있다. 이에 따라 2028년에는 2147억 4700만 달러로 시장이 확대될 것으로 전망된다.

중국은 정부뿐만 아니라 **알리바바와 텐센트** 등 대기업을 중심으로 엄청난 규모의 기술 투자가 이루어지고 있다. 전 세계적으로 VR, AR, MR 을 포괄하는 XR 이 향후 가장 혁신적인 기술 트렌드 중 하나로 부상할 것으로 기대를 모으고 있는 가운데, 중국 또한 해당 영역의 발전이 매우 빠르게 이루어지고 있다. 중국 실감콘텐츠 산업은 주무기관인 공업정보화부의 정책 주도에 따라 지속적으로 발전해 왔으며, 최근 메타버스 개념이 세계적으로 인기를 끌면서 각 지방 정부들도 VR 산업의 발전을 더욱 중요시하고 있다.[112] 중국의 실감형 콘텐츠 시장은 73.7%의 높은 연간성장률을 보이며 향후 2025년에는 1,240억 9300만 달러에 도달할 것으로 예상된다.

최근에 포켓몬 고와 같은 다양한 게임 콘텐츠를 개발하여 전 세계적인 증강현실 응용 서비스의 흐름을 만든 일본은 꾸준한 콘텐츠 개발과 신규 기술의 응용 그리고 이를 가능하게 하는 정부 및 기업의 꾸준한 투자를 통해 2022년에는 증강현실 시장이 74.1%의 비중으로 성장할 것으로 전망하고 있다.

111) 출처 : 과학기술정보통신부, "국외 디지털콘텐츠 시장조사", 2018.
112) 중국 콘텐츠 산업동향, KOCCA, 2022년

가. 마이크로소프트

마이크로소프트는 1975년 빌 게이츠(BillGates)가 폴 앨런(PaulAllen)과 함께 설립한 다국적 기업이다. 본사는 미국 워싱턴 주(州) 레드먼드 시에 있으며, 컴퓨터 기기용 소프트웨어 및 하드웨어를 개발·판매한다. 주요 사업 분야는 윈도 운영체계, 윈도 서버시스템, 온라인서비스, 비즈니스용 소프트웨어, 엔터테인먼트 및 모바일 디비전 등이다.

MS, 혼합현실 솔루션 홀로렌즈2 출시

MS홀로렌즈2 활용 예시도

마이크로소프트는 3년만의 업데이트로 기능이 보강된 '혼합현실 비즈니스 솔루션' 홀로렌즈(Hololens)2를 출시했다.

마이크로소프트의 기술이 집약된 증강현실 헤드셋인 홀로렌즈2는 이를 AR헤드셋이라고 부르는 대신 혼합현실 비즈니스 솔루션이라고 표현한다. 이는 단순한 하드웨어가 아니라 인공지능을 사용하고, 기업용 솔루션인 애저(Azure) 클라우드 등의 연계를 통해 완성되는 서비스이기 때문이다.

홀로렌즈2는 특정 목적으로 업무환경을 개선하기 위한 도구로, 개인용 장비가 아니라는 점에서 일반인들과는 거리가 있어 보이지만 현장의 근무자들에게는 완전히 새로운 업무 프로세스를 설계하게 만들 수 있는 도구가 될 것으로 기대된다.

홀로렌즈는 언제든지 썼다 벗었다 할 수 있는 마스크형 글래스로 착용감을 개선하며 안경 착용자의 접근성을 높였다. 이와 함께 클라우드 서비스를 통해 제공되는 정보를 미리 지정해 놓을 경우 스마트폰이나 컴퓨터를 연결하지 않고서도 독립적으로 사용할 수 있도록 제작되었다.

또한, 두꺼운 정비 매뉴얼을 휴대하고 다니지 않더라도 증강현실을 통해 사물을 인식하고 해당되는 내용을 보여주는 방식의 지원이 빠르게 진행될 수 있다. 항공기, 선박 등의 정비에는 혁신적인 솔루션이 될 것으로 업계는 예측하고 있다.

무엇보다 시야를 차단하는 방식의 가상현실 헤드셋이 답답함을 불러 일으키는 것과는 달리 눈으로 보이는 그대로의 사물과 장면을 인식해서 여기에 정보와 그래픽을 처리해서 구현하는 증강현실기능은 3년전 첫 작품에 비해 획기적으로 발전했다는 평가를 받고 있다. 또한, 기존 제품대비 시야각이 2배 늘어나 정면에서만 보이던 정보량이 늘어난 것은 물론이고 해상도 면에서도 HD급이던 화면이 최소 4배 이상 증가되었다.[113]

113) 마이크로소프트 홀로렌즈2, 증강현실 AI 비즈니스 솔루션 출하, 최종문, 일요주간, 2019.11.08

마이크로 LED 탑재된 스마트 글래스 특허 출원

마이크로 LED는 크기가 5~100㎛(마이크로미터)에 불과한 초소형 LED를 말한다. 스스로 빛을 내기 때문에 백라이트가 필요없다. 기술 구현의 난이도가 높지만 밝기와 명암비, 색재현력은 물론 내구성과 전력 효율 측면에서도 압도적인 차세대 디스플레이로 꼽힌다.

그런데 이제는 메타버스 시대에도 마이크로 LED가 필수요소가 됐다. 단위 집적 면적이 작은 안경형 디바이스 때문에 고집적이 가능한 마이크로 LED 기술확보에 삼성·애플·MS 등 국내외 빅테크사들이 힘을 쏟고 있다. 마이크로 LED는 발광효율과 시야각이 뛰어나 3D 영상을 실감나게 보여준다.

이에 따라 마이크로소프트(MS) 역시 최근 미국 특허청에 마이크로 LED 디스플레이가 탑재된 스마트 글래스 관련 특허를 출원했다. 스마트 글래스 등 헤드마운트디스플레이(HMD) 제조사들의 가장 큰 고민은 필수적인 광학 요소들을 빼먹지 않으면서도 기기의 전체 크기를 최소화해 이동성을 향상시키는 데 있다. MS는 이를 해결하기 위해 마이크로 LED를 활용하는 방안을 고려하고 있다고 밝혔다.114)

'VR/AR 협업플랫폼 메시(Mesh)' 통해 구현하는 메타버스

마이크로소프트(MS)가 홀로포테이션을 이용해 가상협업공간에서 사용자끼리 커뮤니케이션을 할 수 있는 새로운 AR/VR 플랫폼을 선보였다. 애플인사이더 등의 주요외신들에 따르면 MS가 최근 열린 연례 컨퍼런스 이그니트2021 행사에서 애저 기반 AR/VR 플랫폼인 '마이크로소프트 메시'를 공개했다고 밝혔다.

'마이크로소프트 메시(Microsoft Mesh)'는 개발자들이 사물이나 사람의 움직임을 포착해 실시간으로 그 영상을 AR로 구현하는 증강현실 플랫폼 기술을 말한다. 키넥트와 홀로렌즈의 창시자인 알렉스 키프만 MS 기술 펠로우는 "서로 다른 장소에서 홀로렌즈와 같은 기기를 통해 동일한 장소에 있는 것처럼 가상공간에서 컨텐츠를 공유하고 협업할 수 있을 것"이라고 말했

114) [테크M 리포트]삼성·애플 이어 MS까지...메타버스 힘줄 '마이크로 LED' 판 커진다. 2021.08.13.TechM

다. 그는 앞으로 물리적으로 동일한 공간에 함께 없어도 가상공간에서 함께 작업을 할 수 있다고 덧붙였다. MS는 이 기술을 홀로포테이션이라고 자칭하고 있으며 한 물리적 공간에 아바타나 내 가상 버전을 만들어 협업을 할 수 있도록 지원하고 있다.115)

한편, 메시는 팀즈(Microsoft Teams)와 다이나믹스365(Microsoft Dynamics 365) 등과 통합될 예정이다. 이에 따라 MS는 팀즈의 기능도 업그레이드를 마쳤다고 밝혔다. 자사 직원 경험 플랫폼 '마이크로소프트 비바(Microsoft Viva)' 업데이트와 팀즈 회의에 새롭게 추가된 기능인 '발표자 뷰(presenter views)'도 소개됐으며 이를 중심으로 확장된 커뮤니케이션과 협업 기능을 제공하는 업무용 통합 플랫폼으로 성장했다는 설명이다.

나아가 보안적 측면에서는 사용자와 조직의 역량을 강화하고 디바이스와 백엔드(Back-end) 시스템을 위한 보안 업데이트가 다수 발표됐으며 산업 특화 클라우드의 다양한 기능도 모습을 드러냈다. 시간이 많이 걸리는 수동 작업을 쉽게 자동화하는 RPA(Robotic Process Automation) 기능을 제공하는 '파워 오토매틱 데스크톱(Microsoft Power Automatic Desktop)'을 윈도우 10에서 추가 비용 없이 사용할 수 있게 된다는 점도 확인됐다.116)

최근에는 마이크로소프트가 혼합현실(MR) 기능인 마이크로소프트 팀즈 3D 메시를 출시한다고 발표했다. 팀즈의 3D 메시는 사용자의 아바타를 활용해 가상회의실에서 소통할 수 있는 기능이다. 메타의 퀘스트 같은 VR 헤드셋에서 이용할 수 있다. 마이크로소프트 메시는 현재 메타 퀘스트 앱스토어에서 사용할 수 있다.

115) MS, 新 VR/AR의 플랫폼 'MS 메시' 공개. 2021.3.3.아이뉴스24
116) MS, 메타버스의 설계자 '우뚝'.2021.3.3.이코노믹리뷰

팀즈 이용자는 몰입형 공간에서 회의를 열고, 3D 아바타로 원격 접속한 동료와 현실 속 사무실에서 하듯 대화할 수 있다. 공간 오디오 기능을 통해 실제로 옆에서 대화하는 느낌을 갖게 한다. 아바타는 사용자의 움직임, 시선 등을 감지해 그대로 재현한다.

사용자는 팀즈 메시의 몰입형 공간으로 팀 사교 모임, 브레인스토밍 세션, 워탁토론 등 상황에 맞게 선택할 수 있다. 아바타를 직접 디자인할 수 있다.

마이크로소프트 팀즈 프리미엄 라이선스를 보유한 조직은 맞춤화된 몰입형 사용자 지정 환경을 구성할 수 있다. 편집기를 활용해 공간 세트를 만들고, 조직의 로고를 포함하는 배너, 제품 소개 비디오, 프리젠테이션 콘텐츠 등을 추가할 수 있다. 메시 툴킷의 유니티 기능을 활용해 전체 회의, 온보딩, 시뮬레이션, 교육 등을 위한 맞춤형 환경을 만들 수 있다.

마이크로소프트에 의하면, 현재 액센추어, 타케다, BP, 머시십(Mercy Ships) 등이 팀즈의 메시 기능을 이용중이다.

마이크로소프트는 메시의 몰입형 경험으로 참여도 높고 생산적인 분산 팀을 만들 수 있으며, 출장비와 부동산 비용을 절감할 수 있다고 설명했다.

액센추어는 마이크로소프트 메시로 가상 캠퍼스인 '원액센추어파크'를 구축하고 전세계 30만 명의 신규 채용자에게 온보딩 프로그램을 제공하고 있다. 각 신입 사원은 가상 모노레일을 타고 다양한 교육 전시회, 전문가 강연, 모임 공간 등을 이용하고 있다.[117]

나. 페이스북

facebook

페이스북, 이제 SNS기업이 아닌, '메타버스 기업'으로 거듭날 것

117) 마이크로소프트, 팀즈용 메타버스 기능 정식 출시, ZDNET Korea, 2024.01.26

페이스북은 메타버스 사업에서 가장 앞선 기업이다. 소프트웨어와 하드웨어 역량을 모두 갖추고 있기 때문이다. 2021년 10월 28일 페이스북 개발자들의 연례 온라인 이벤트인 커넥트 컨퍼런스에서 기업명을 페이스북에서 메타로 변경하겠다고 밝혔다. 'FB'였던 나스닥에서의 주식 종목코드는 2021년 12월 1일부로 메타버스라는 뜻을 가진 'META'로 바뀌었다. 메타라는 사명은 고전 그리스어로는 '어떤 것들의 뒤 혹은 가운데에 있는 것'을 뜻하는 접두사 μετά에서 유래했고, 구체적으로는 메타버스를 뜻하며 소셜미디어에서 나오는 광고 수입에 치중된 기존 사업 모델에서 탈피하여 메타버스를 향후 주력 사업모델로 삼을 것이란 뜻을 밝혔다.[118]

페이스북은 VR 기기 개발업체 '오큘러스'를 지난 2014년 20억달러(약 2조3380억원)를 들여 인수하기도 했다. 당시 페이스북 투자 중 최고액이었다.

2019년부터는 오큘러스의 VR 헤드셋 전용 플랫폼 **'페이스북 호라이즌'**을 비공개 테스트하고 2021년 '호라이즌 월드'를 출시했다. 가상현실 속에서 자신의 캐릭터를 생성해 타인과 이야기를 나누고, 영화를 함께 보거나 게임을 즐길 수 있는 소셜 플랫폼이다.

같은 해, 페이스북은 메타버스 VR미팅 서비스 '워크룸'을 공개했다. 인피니트오피스는 페이스북이 페이스북 커넥트에서 발표한 가상 사무실 솔루션이다.

인피니트 오피스는 가상현실 화면에서 사용자가 원하는 여러 작업 화면을 갖춘 3차원 공간이 등장하고 여기에서 작업을 하게 해준다. 오큘러스 브라우저(Oculus Browser)을 기반으로 하고 있어 데스크톱급 웹경험을 제공하고 가상현실 뿐 아니라 실제 주위 상황도 함께 확인하는

118) 메타(기업), 나무위키

증강현실도 가능하다.[119)]

이러한 기술에 대하여 마크 저커버그 CEO는 미 정보기술(IT) 전문매체 '더 버지'와의 인터뷰에서 "다른 장소에 있지만, 다른 사람들과 함께 있는 것처럼 느껴질 것"이라며 "춤을 추거나 함께 운동 강습을 받는 등, 애플리케이션(앱)이나 웹페이지에서는 할 수 없는 다양한 경험을 하게 된다"고 설명했다. 또한 인터뷰에서 "5년 후 페이스북은 사회관계망서비스(SNS)가 아닌 메타버스 기업으로 간주될 것"이라고 강조했다.[120)]

가상현실 회의공간, '호라이즌 워크룸' 선보여

2021년 페이스북이 가상현실 회의공간 '호라이즌 워크룸'을 선보이며 메타버스 구현에 한 발짝 다가갔다. 호라이즌 워크룸에서는 임직원들이 자신의 아바타로 가상 회의 테이블에 앉아서 화상 회의에 참여하는 방식으로 회의가 진행된다. 최대 16명이 가상 회의 테이블에 앉을 수 있으며, 사용자들은 PC에 워크룸 앱을 설치하고 페이스북의 '오큘러스 퀘스트 2' 헤드셋에서도 앱을 가동해야한다. 헤드셋에서 자신의 아바타를 만들고 채팅방에 입장하면 된다. 컴퓨터에도 연결돼있기 때문에 가상 회의 공간에서 자신의 PC 화면을 확인하고 메모도 할 수 있다. 사용자가 움직이면 아바타도 비슷한 동작을 취하게 된다.

페이스북은 미국 기자들을 초청해 호라이즌 워크룸을 시연했다. 뉴욕타임즈(NYT), 경제방송 CNBC 등에 따르면 회의엔 마크 주커버그 페이스북 창업자 등 페이스북 임직원과 기자 등이 참여했다. 주커버그는 남색 긴팔 티를 입은 아바타로 등장했다. 페이스북 임원들은 디지털 보드에 그림을 그리고 화면을 공유했다.

아바타를 통해 회의에 참석한 앤드루 보스워스 페이스북 리얼리티랩 부사장은 "게임이나 오락뿐만 아니라 '좀 더 진지한 일'을 하기 위해선 사람들이 서로 멀리 떨어져 있지만 '존재감'을 가질 수 있어야 한다"며 "(워크룸은) 영상통화에서 할 수 없는 다른 일"이라고 말했다. 한편, 마크 주커버그 페이스북 창업자는 "6개월 동안 내부 회의에서 워크룸을 사용했다"며 "전화나 컴퓨터에 구축했던 기존 소셜네트워크 앱보다 더 풍부한 상호작용이라고 생각한다"고 언급했다.[121)]

---

119) 페이스북, 메타버스 VR미팅 서비스 '워크룸' 공개, brunch story, 2021.08.20
120) AR·VR 헤드셋 쓰면 가상세계 활짝… '메타버스'가 뜬다 [세계는 지금].2021.8.22.세계일보
121) '메타버스'에 꽂힌 마크 주커버그…페이스북 '가상 회의' 앱 공개. 2021.8.20. 한경

혼합현실(MR)기기, '메타퀘스트3' 선보여

메타퀘스트3은 2023년 6월 1일에 발표된 메타 퀘스트 3세대 모델의 VR이자 첫 보급형 MR 헤드셋이다. 국내에는 같은 해 9월에 선보였다.

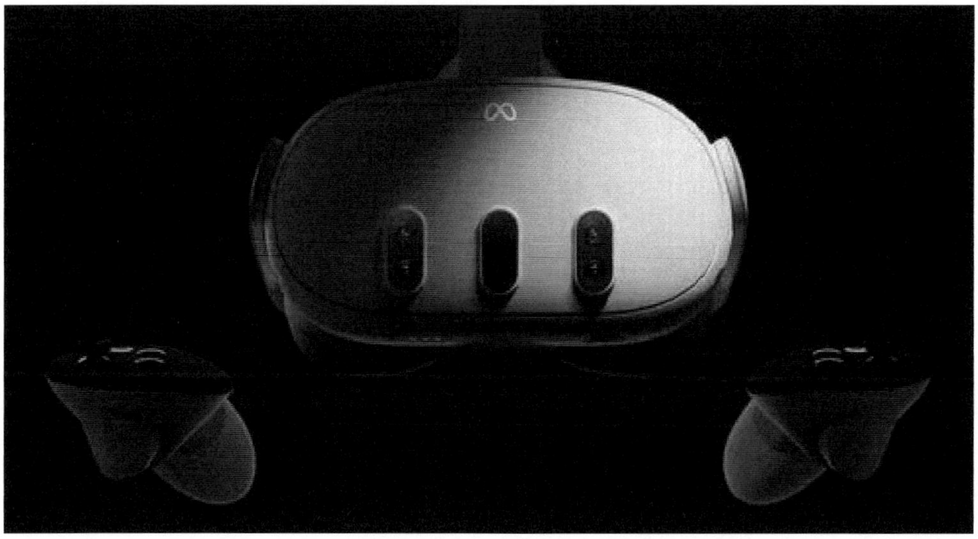

메타 퀘스트3는 '팬 케이크 렌즈'(일부 콘텐츠 사라짐이나 섬광에 의한 눈부심을 상당히 없애 안구를 보호하는 렌즈) 탑재와 맞춤 조절이 가능한 스트랩으로 이용 편의를 높였다. 전작인 메타 퀘스트2보다 40% 이상 부피를 줄였고, 적외선 LED를 활용해 컨트롤러 없이도 핸드 트래킹 기능을 계속 사용할 수 있는 '터치 플러스 컨트롤러'를 제공한다. PU(중앙처리장치)와 GPU(그래픽처리장치) 성능을 모두 200% 이상 높였고, 4.2K 해상도와 풍부한 공간음향을 제공한다.

메타는 기기와 함께 게임, 피트니스, 엔터테인먼트, 소셜 경험, 여행 등 500여 개의 다양한 콘텐츠를 제공하고 있으며, 메타 퀘스트3 출시 시점에 맞춰 50개의 MR 콘텐츠를 포함한 신규 콘텐츠를 순차적으로 내놓을 계획이다.[122]

122) SKT '메타 퀘스트3', 국내 출시…오늘부터 사전예약, 이코노미톡뉴스, 2023.09.28

다. 오큘러스

오큘러스 리프르 DK1 (출처 : 오큘러스 홈페이지)

오큘러스는 2012년 8월 킥스타터(Kickstarter ; 미국 크라우드 펀딩 사이트)에서 오큘러스 리프트 개발자 버전(Oculus Rift DK1)을 선보였다. 그리고 한 달 만에 240만 달러 정도의 투자를 받아서 VR HMD(Virtual Reality Head Mounted Display)를 개발하는 오큘러스 리프트 벤처회사를 창립했다.

2014년 미국 샌프란시스코에서 개최된 GDC 2014(Game Developer Conference 2014)에서 한층 더 향상된 오큘러스 리프트 DK2 버전(Development Kit 2)를 공개했다. DK2는 기존 버전과 다르게 콘트롤 박스가 없이 바로 헤드셋에 연결해서 사용할 수 있다. DK2는 OLED 디스플레이를 채택하여 기존의 문제점이었던 멀미 증상과 화면의 흐려짐을 조금 더 해결하는 등 시각적 개선을 이뤘다.

2014년 3월 25일 오큘러스 리프트는 페이스북에 20억불로 인수되었다. 페이스북 CEO인 마크 저커버그는 오큘러스를 게임뿐만이 아니라 스포츠 중계, 원격 학습, 원격 대면 진료 등과 같이 다양한 분야로 키울 것을 언급했다.
페이스북이 가상현실(VR) 헤드셋을 보급하며 VR 시장 개척에 나선 후 오큘러스 퀘스트가 유일하게 호평을 받았다. 페이스북은 20개 이상 게임 VR 콘텐츠를 공개했고 퀘스트 헤드셋만으로 100만달러 매출을 올렸다. 오큘러스는 세계적으로 200만개 이상 카피가 팔린 슈퍼핫 VR 게임의 인기로 십여개의 인기 타이틀만으로 200만달러 게임 수입을 올렸다.[123)]

2021년 10월 28일 모회사 페이스북이 메타로 변경됨에 따라, 오큘러스 브랜드로 판매되던 제품들이 메타로 변경될 것이라는 소식과, 2022년부터 더 이상 페이스북 계정을 필요하지 않을 것이라는 소식이 전해졌다. 회사명으로 사용되던 Oculus VR은 2018년 9월 페이스북으로 합병될 당시 소멸되고 브랜드명으로만 남았는데, 모회사의 사명을 변경하면서 브랜드 자체를 메타로 통합시키려는 전략의 일환으로 파악됐다.

2022년 1월 27일, 메타가 공식적으로 오큘러스 브랜드의 종료를 선언했다. SNS 및 홈페이지의 명칭 변경을 시작으로 점진적으로 메타 퀘스트 브랜드로의 이관이 진행됐다.[124)]

라. 구글

과거 탱고를 통한 구글의 AR 시장 선점 전략은 애플이 2017년 2월에 ARKit를 출시하면서 수정이 불가피해졌다. 탱고는 별도의 3D 센서와 카메라를 가진 전용 스마트폰을 필요로 한다. 정교한 3D 센싱이 가능하지만 별도의 스마트폰 보급이 선행되어야 하는 점은 확산에 걸림돌이었다. 하지만 애플이 공개한 ARKit는 탱고와 달리 별도의 스마트폰을 필요로 하지 않는다. 또한, 기존의 아이폰에서 구동이 가능하기 때문에 이미 완성된 iOS 생태계를 활용할 수 있다는 강점이 있다. 당연히 확산 측면에서도 유리하다.[125)] 결국 구글은 2017년 8월 안드로이드 플랫폼에서 작동이 가능한 ARCore를 출시했다. 구글이 공개한 'ARCore'는 안드로이드 사용자들을 위해 AR기능을 도입할 수 있는 가능성을 시사한다. 구글'ARCore'을 이용하면 추가적인 센서나 하드웨어를 별도로 구매하지 않더라도, 기존 기기를 포함한 최신 안드로이드 기기에서 AR기능을 이용할 수 있다.[126)]

---

123) 오큘러스 퀘스트, VR 콘텐츠 시장 조성에 성공, 안희권, 아이뉴스24, 2020.05.19
124) 오큘러스, 나무위키
125) VR/AR, 비현실의 현실화, 삼성증권, 2019.07.12
126) 외계인의 IT 플래닛

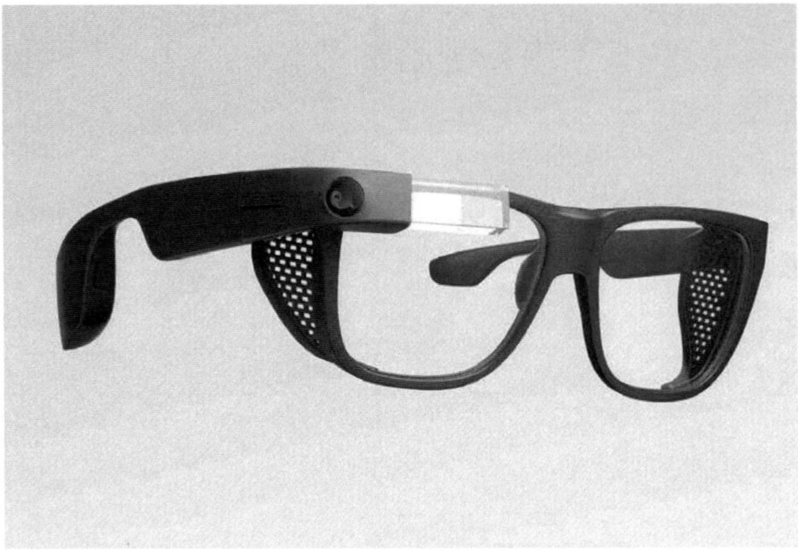

구글 글라스 엔터프라이즈 에디션(출처: 구글)

구글 글라스(Google glass)는 구글이 만든 '스마트 안경'으로, 증강현실(AR) 기술을 활용한 웨어러블 컴퓨터다. 스마트폰처럼 안드로이드 운영체제(OS)를 통해 사진도 찍고 인터넷 검색도 하며 길 안내도 받을 수 있다.[127] 구글은 지난 2012년 4월, '프로젝트 글래스' 라는 유튜브 영상을 통해 구글 글래스의 프로토타입을 처음으로 공개했고, 이후 '구글 I/O 2012'에서 구글 글래스를 선보였다. 이후 개발자용 제품을 한정 배포한 다음, 실제 제품 판매까지 진행했지만 별다른 반향을 일으키지 못하고 조용히 단종됐다. 이후 2017년에 들어서 구글 글래스 엔터프라이즈 에디션이라는 이름의 구글 글래스 신제품이 등장했고, 2019년 이후부터는 '글래스 엔터프라이즈 에디션'이라는 이름으로 구글 고객사 한정으로 판매하고 있다.

하지만 구글 글래스는 증강현실의 사례와 가능성을 확인하는 사례일 뿐, 실제로 시장을 개척하는 역할은 하지 못했다. 제대로 된 상용 제품을 내놓지 못했고, 이를 활용할 콘텐츠도 협소했기 때문이다.[128]

구글은 증강현실이 본격적인 성장을 이뤄낼 수 있는 티핑포인트에 왔다고 판단하고 다양한 증강현실 프로젝트를 진행하고 있다. 먼저, 구글 맵스에 포함돼 있는 증강현실 기능이다. 한국에는 도입돼 있지 않지만 인도나 일본 북미에서 지난여름부터 나온 이 기능은 지도를 켜고 특정 지명을 검색해 목적지까지 걸어가면 증강현실을 통해 표지판이 뜬다.

127) 조유진, 「구글의 사이보그 '구글 글라스'의 모든 것」,
128) MS 이어 애플·삼성도 뛰어드는 AR글래스… 2021년 '증강현실' 원년 될까?.2021.3.8.ITdongA

본 기능을 이용하면 궁극적으로 표지판이 없는 도시에서도 길을 찾아갈 수 있으며 도시 내부가 매우 복잡한 인도나 (표지판이 영어로 쓰여 있지 않은) 일본 도쿄 뒷거리 같은 곳도 외국인들이 찾아갈 수 있게 될것으로 전망된다.

다음으로, '가상 립스틱'과 같은 코스메틱 제품을 증강현실로 적용해보는 서비스다. 현재 유튜브에서 가장 인기 있는 영상 중 하나는 사람들에게 화장을 잘하는 방법을 알려주는 것인데, 본 서비스를 이용하면 증강현실을 적용해 내 피부색에 맞는 립스틱 색깔을 미리 맞춰 볼 수 있다. 현재 이 기능은 구글뿐만 아니라 페이스북도 자사가 개발한 증강현실 플랫폼 '스파크 AR'를 통해 개발 중이다.

마지막으로 구글렌즈를 통한 증강현실 구현 기능이다. 본 기능을 이용하면 해외에 갔을 때도 알아듣기 어려운 현지 언어로 된 현금자동인출기(ATM)나 버스 안내판, 팸플릿 등에 구글렌즈를 가져다 대면 자동으로 쉽게 번역할 수 있다.[129]

구글은 2012년에 구글 글래스라는 스마트 안경을 최초로 출시하고, 3년만에 사업을 포기했었다. 이후 증강현실 기술에서 한걸음 떨어져있었으나 최근 메타플랫폼(META)이나 애플(AAPL)이 증강현실 장치에 적극 뛰어들고 시장이 커지면서 다시 복귀하는 신호로 받아들여진다. 또한 구글은 연례 개발자 컨퍼런스에서 안경 프로토타입을 착용하게 하고 그 사람이 무엇을 보고 있는지 에이전트에게 질문하는 방식으로 프로젝트 아스트라라는 AI 에이전트를 선보였다. 이 기능은 메타가 작년에 발표한 착용자가 오디오 형식으로 물체를 식별할 수 있는 소프트웨어가 부착된 레이밴 메타 스마트 글래스와 유사하다.

만약 구글이 AR 글래스 생산에 다시 뛰어든다면 이는 구글과 이 기술 사이의 반복적인 관계에서 또 다른 이정표가 된다. 이미 구글은 10여년전 구글 글래스라는 스마트 안경을 출시하면서 AR혁명을 처음으로 시도한 기업이었다. 이후 2015년 소비자 시장에서 물러나고 기업시장도 포기했다. 그 후 2년전 영어, 표준 중국어, 스페인어 및 미국 수화로 대화를 실시간 번역할 수 있는 새로운 안경 세트를 선보였으나 다시 지난 1월 AR팀 대부분과 하드웨어 부문 직원 수백명을 해고해 이 프로젝트의 미래가 불투명해졌었다.[130]

---

129) 구글맵스에 증강현실 접목…세계 어디든 여행 쉬워지죠, 신현규, 매일경제, 2019.10.13
130) 구글, 증강현실 기술시장 다시 복귀, 한경글로벌마켓, 2024.05.31

마. 애플

애플은 아이폰 이후의 비전 실현을 위한 차세대 먹거리로 AR을 지목했다. 2017년 WWDC에서 iOS11에 AR 기능을 추가하고, ARKit를 공개하며 본격적인 시장 진출을 알렸다. 애플은 이미 전 세계적으로 13억대의 iOS 디바이스 플랫폼을 보유하고 있다. 스마트폰 중심의 활성화가 예상되는 AR시장에서 동사의 지속적인 경쟁력이 기대되는 이유다.

애플의 AR시장 지배력을 위한 핵심은 ARKit다. ARKit는 iOS에서 AR앱 개발을 도와주는 프로그램으로, 2017년 WWDC에서 처음으로 공개된 이후 기술 고도화가 지속되며 최근에는 게임 엔진 개발사의 영역까지 공략한다는 평가가 이어지고 있다. 향후 AR앱 시장의 활성화와 함께 동사 서비스 부문 성장에 기여할 것으로 판단된다.

애플은 차세대 아이폰 후면 카메라에 ToF(Time of Flight) 센서를 처음으로 시도했다. 아이폰12프로, 프로맥스에도 ToF센서 '라이다 스캐너'를 넣었고, 2023년 공개한 XR헤드셋 '비전 프로'에도 Tof 센서를 탑재하는 등 꾸준히 신경을 써왔다. ToF 방식은 3D 센서를 구현하기 위한 기술 중 하나로 장거리 인식에 장점이 있다. 애플은 전면에 SL 방식을 활용해 Face ID를 구현해왔으나 새로운 방식의 ToF 센서를 활용으로 AR시장을 공략해 오고 있다.[131]

---

131) VR/AR, 비현실의 현실화, 삼성증권, 2019.07.12

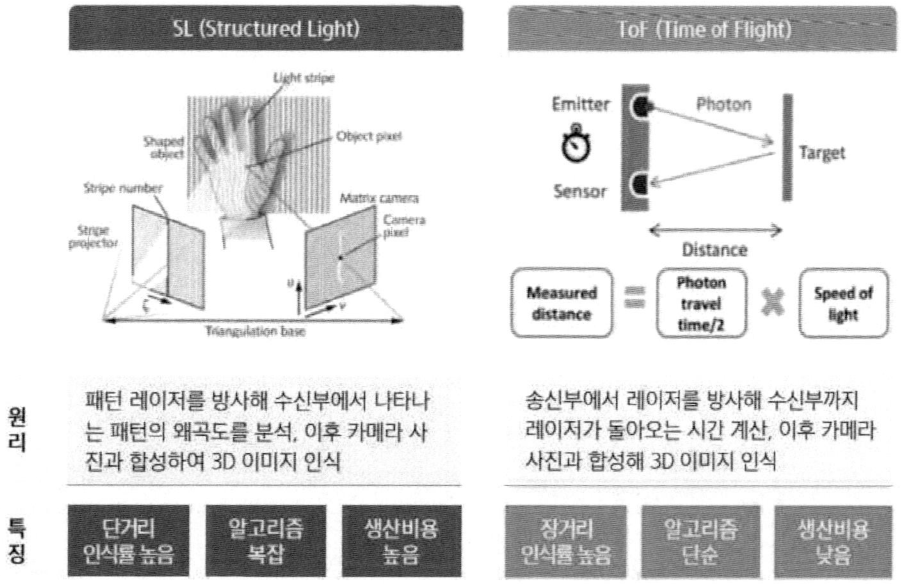

SL방식(Structured Light) VS ToF방식(Time of Flight)

애플의 VR 로드맵, VR헤드셋부터 AR콘택트렌즈 까지

한편, 애플 전문 분석가 밍치궈 애널리스트는 최근 밝힌 투자자 메모를 통해 애플이 구체적인 VR 로드맵을 가지고 있다고 밝혔다. 밍치궈는 "2022년 중으로 애플이 VR 헤드셋을 제품을 출시하고, 2025년에는 AR 글래스를 선보일 것으로 보인다. 궁극적으로는 2030~2040년 무렵에는 AR 콘택트렌즈를 출시할 것"이라고 전망했다.

또한 VR 헤드셋의 경우 더욱 구체적인 정보를 공개했다. 그는 "현재 애플 VR 헤드셋 시제품의 무게가 200~300g 사이이며, 몇가지 기술적 문제를 해결한다면 양산 제품의 무게는 100~200g 정도로 줄어들 것"이라고 설명했다. 이를 위하여 소니 마이크로 OLED 디스플레이를 사용하여, 애플 A 시리즈 프로세서와 수GB 단위의 램과 저장용량을 갖추게 될 것으로 보았다. 아이폰 등 모바일 단말기 연동은 물론 타 기기에 의존하지 않는 독립적인 웨어러블 기기가 될 것으로 전망했다.

그는 "애플이 VR 헤드셋을 거쳐 2025년까지 AR 글래스를 출시해, 증강현실의 경험을 완전히 새롭게 정의하는 것을 원하고 있다"면서 "궁극적으로 2030년 이후 AR 콘택트렌즈처럼 보

이지 않는 컴퓨팅 환경을 구축하는 것이 애플의 목표다"라고 언급했다.[132)]

올해 2월, 미국에서 공간컴퓨터 '비전프로'를 출시했다. Apple Vision Pro는 단순한 XR 헤스셋을 넘어 PC와 스마트폰을 대체할 잠재력을 가진 공간 컴퓨팅 기기이다.
비전 프로에 담긴 세계 최초의 공간 운영체제(OS) '비전 OS'는 3D 인터페이스를 제공함으로써 앱이 화면의 제약에서 벗어나도록 하고 앱을 원하는 크기로 나란히 배열할 수 있게 해준다.

이외에도 3D를 통해 물리적 공간을 벗어나 다른 세상을 체험할 수 있는 '환경' 기능, 애플 최초의 3D 카메라, 통화 상대가 실물 크기 타일로 구현되는 페이스타임, 눈·손·음성으로 제어 가능한 완전히 새로운 입력 체계, 비전 프로 착용자 근처에 다가가면 기기가 투명화되는 '아이사이트' 기능 등도 담겼다.
비전 프로 전용 '비전OS 2'에는 사진을 3D 메모리로 변환하거나, 중요 정보를 한눈에 볼수 있는 새로운 제스처 기능, 맥 버추얼 디스플레이, 사파리 및 애플 TV 앱에 대한 향상된 기능 등이 추가됐다.[133)]

최근에는 애플이 아이폰을 대체할 수 있는 경량 증강현실(AR) 글래스를 개발하기 위한 작업을 시작했다고 밝혔다.
모바일 매체 폰아레나에 따르면 이 안경은 하루종일 착용할 수 있으며, 2027년으로 출시일이 거론되고 있다. 그러나 내부 직원들은 이 기기가 향후 몇 년 이내에 소매용으로 출시될 준

132) 밍치궈 "애플 VR헤드셋 내년 출시, AR글래스는 2025년에". 2021.3.8. 디지털투데이
133) 애플 '비전 프로' 이달 해외 판매 시작…中·日 있지만 韓은 빠져, 뉴시스, 2024.06.11

비가 되지 않았다고 전했다.

마크 거먼은 애플이 AR 글래스 개발에 수백만달러를 투자할지를 결정해야 할 것이라고 전했다. 그는 애플의 비전 프로 개발 그룹이 계속해서 새로운 직원을 고용하고 있으며, 애플이 AR 글래스를 시장에 출시할 가치가 있는지 결정하는 동안 개발자금을 계속해서 마련할 것으로 예상했다.

아울러 마크 거먼은 AR 글래스가 아이폰을 궁극적으로 대체하는 데 있어 가장 유망한 제품이라고 전했다.

한편, 구글이 2012년 출시한 프로젝트 글래스는 스마트폰과 같은 기능을 사용할 수 있다. 그러나 높은 가격과 복잡한 피팅 과정, 무단 촬영 등의 논란으로 소비자 제품으로서는 실패했다.[134)]

애플의 시장 진출에 따라 '공간 컴퓨팅'(애플이 비전 프로의 키워드로 내세운 용어)을 둘러싼 관심에 더 커질 전망이다. 테크스포넨셜(Techsponential)의 사장 겸 수석 애널리스트 아비 그린가트는 "애플의 공간 컴퓨팅 제품 출시는 관련 시장을 촉발시켰고, 경쟁업체가 공략하거나 피해야 할 목표를 제시했다. (비전 프로와) 직접적으로 비교 가능한 제품을 올해 안에 출시할 예정이라고 발표한 곳은 없지만, 일부 제품은 분명히 개발 중이다. 다른 업체는 애플과의 직접적인 경쟁을 피하기 위해 의도적으로 다른 개발 경로나 틈새시장을 선택하고 있다"라고 말했다.[135)]

134) 애플, 아이폰 후속작 'AR 글래스' 개발…2027년 출시?, Digital Today, 2024.06.24
135) '변곡점 왔지만 갈 길 멀다' 2024년 AR/VR 시장 전망, CIO, 2024.01.23

바. 소니

SONY

최근 60여 년 만에 사명을 '소니 그룹'으로 바꾸기로 한 일본 소니가 향후 가상현실(VR) 기기 개발도 가속화하겠다는 의지를 나타냈다. 소니 최고경영자(CEO)는 파이낸셜타임스(FT)와의 인터뷰에서 VR을 활용한 스트리밍(실시간 재생) 콘서트 실험을 하고 있다며 어떻게 하면 그 경험을 보다 몰입적이고 원활하게 원격 진행할 수 있는지가 과제라고 밝혔다.[136)]

플레이스테이션5 상상도

한편, 소니는 차세대 VR 디바이스를 개발하고 있다. 니시노 히데아키 소니 플랫폼 계획·관리 총괄은 플레이스테이션5(PS5)용 차세대 VR 시스템을 개발하고 있다고 밝혔다. 니시노 히데아키 총괄은 아직 개발단계가 많이 남았지만 초기 정보를 제공하고자 개발 사실을 공개하게 됐다고 덧붙였다.

소니는 지난 2016년 PS4를 기반으로 한 'PS VR'을 출시하고 본격적으로 판매에 돌입했다. PS VR은 출시 이후 4년여간 500만 대 이상 판매되며 나름의 성과를 거뒀다는 평가를 받고 있다. 소니도 아스트로 봇: 레스큐 미션, 테트리스 이펙트, 블러드 앤 트러스 등 다양한 VR 타이트를 출시하며 소프트웨어 적으로도 생태계를 구축하기 위한 노력을 지속하고 있다.

소니는 차세대 VR 시스템이 기존 PS VR를 통해 배운 것을 바탕으로 해상도, 시야, 트래킹

136) 사명 바꾼 소니, 금융업뿐 아니라 VR도 키운다, 김성은, 머니투데이, 2020.05.22

등에 이르기까지 모든 것을 향상시킨다. 또한 설정도 단순화해 사용 편의성을 개선한다. 컨트롤러 부문도 업그레이드 된다. PS5의 컨트롤러인 '듀얼센스' 무선 컨트롤러의 주요 기능 중 일부를 통합해 전혀 새로운 VR용 컨트롤러를 개발할 계획이다.

다만 소니의 차세대 VR 시스템은 아직 개발 단계가 많이 남아, 2021년 중으로는 출시 계획이 잡히지 않았다. 지난 2016년 출시된 PS VR도 처음 프로젝트가 공개되고 2년여의 시간이 필요했던만큼 2022년 하반기 혹은 2023년 상반기 중 모습을 보일 것을 예상된다.

니시노 히데아키 총괄은 "PS VR에 대한 지속적인 관심에 모든 유저에게 감사하다"며 "새로운 차세대 VR 시스템을 통해 가상 현실에 대한 우리의 의지를 잘 보여줄 수 있을 것"이라고 말했다.137)

2023년에는 소니가 AR 및 VR 게임에 활용하기 위한 '발로 사용하는 컨트롤러' 특허를 출원했다고 밝혔다.
외신에 따르면 소니는 지난해 10월 해당 특허를 제출했는데, 두 종류의 컨트롤러 도면이 담겼다. 동그란 공을 사용하는 '트랙볼' 형식의 컨트롤러와 정전식 터치 방식으로 입력을 감지하는 구 형태의 컨트롤러다.
이 컨트롤러는 두 개의 거대한 구체를 발로 굴려 조작하는 형태로, 좁은 실내에서의 VR 경험을 강화하고자 개발됐다.

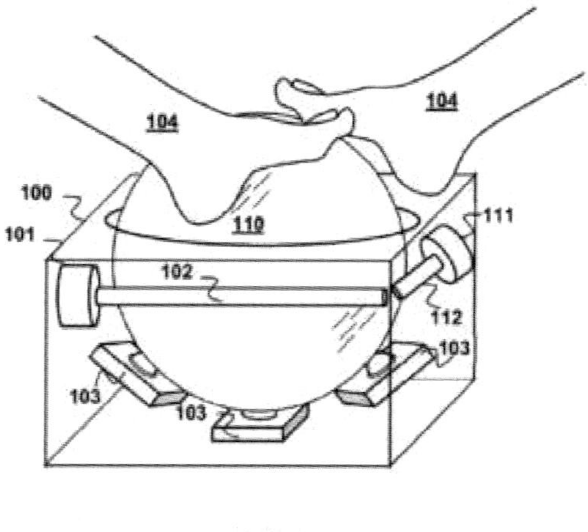

FIG. 1

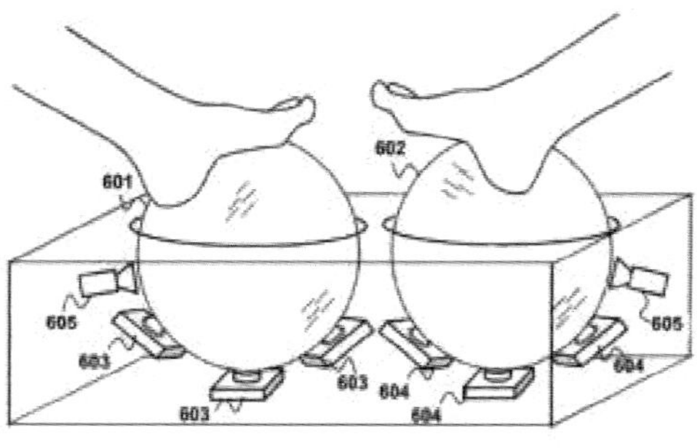

FIG. 6

소니는 "VR 및 AR 기기 조작은 룸 스케일의 이동이나 좌석 제어로 제한되고 있다. 방이 작은 사용자는 이 기능을 충분히 활용할 수 없으며, 이런 제한 사항이 있기에 사용자가 더욱 이

137) 소니, 차세대 VR 시스템 예고…개발 '초기' 단계. 2021.2.24. The GURU

동할 수 있는 수단이 필요하다"라고 했다. 이어 "발로 작동하는 컨트롤러를 사용하면 이를 해결할 수 있으며, 손 사용이 제한되는 이용자에게도 유용한 옵션을 제공할 수 있다"라고 했다.[138)]

최근에는 소니가 VR(가상현실) 게임용 주변 기기 '플레이스테이션(PS) VR 2'의 생산을 잠정 중단한 것으로 알려졌다.

블룸버그는 미국 시간 18일 "익명을 요구한 관계자들의 발언을 종합하면 소니는 PS VR 2의 재고가 판매될 때까지 생산을 중단했다"며 "지난해 2월부터 200만대 이상 생산이 이뤄졌으나 회사의 예상보다 판매량이 저조한 상황"이라고 보도했다.

시장 조사 기관 IDC(International Data Corporation)에 따르면 PS VR2는 지난해 2월 출시 후 첫 한 달 동안 30만대, 3개월 동안 50만대 판매됐으나 이후 판매량은 지속적으로 하향세를 그려왔다.

PS VR2는 출시 당시부터 본체인 PS5(한국 판매가 68만8000원) 대비 비싼 가격(한국 판매가 79만8000원)과 무선 헤드셋 기능 부재 등 하드웨어적 약점에 관한 지적을 받았다. 같은해 10월 메타에서 한화 기준 최소가 69만원에 '퀘스트 3'를 내놓자 하드웨어 스펙 측면에서 비교적 부족하다는 평가도 있었다.

소니IE는 VR2의 판매량 부진 해소를 위해 게임의 지원 범위를 PC 분야로 확대할 계획이다. 회사는 PS 공식 블로그를 통해 지난달 "VR2 헤드셋 이용자가 PS 5 외에도 PC 게임에 접근

138) 소니, 발로 조작하는 VR 컨트롤러 특허 출원, ZDNET Korea, 2023.12.28

하는 기능을 테스트하고 있다"며 "올해 안에 관련 기능을 정식 지원하는 것을 잠정적 목표로 한다"고 발표했다.139)

지금까지 소니의 VR 야망은 게임에 집중돼 있었지만, 2024년에는 달라질 전망이다. 이번 CES에서 소니는 3D 콘텐츠 제작 그리고 엔터테인먼트 및 엔지니어링 분야 전문가 간의 협업을 목표로 하는 혼합현실 기기로 기업 시장을 공략할 계획이라고 밝혔다. 아직 제품명은 정해지지 않았다. 소니는 산업용 AR/VR 서비스 개발을 위해 지멘스와 파트너십을 맺었다.

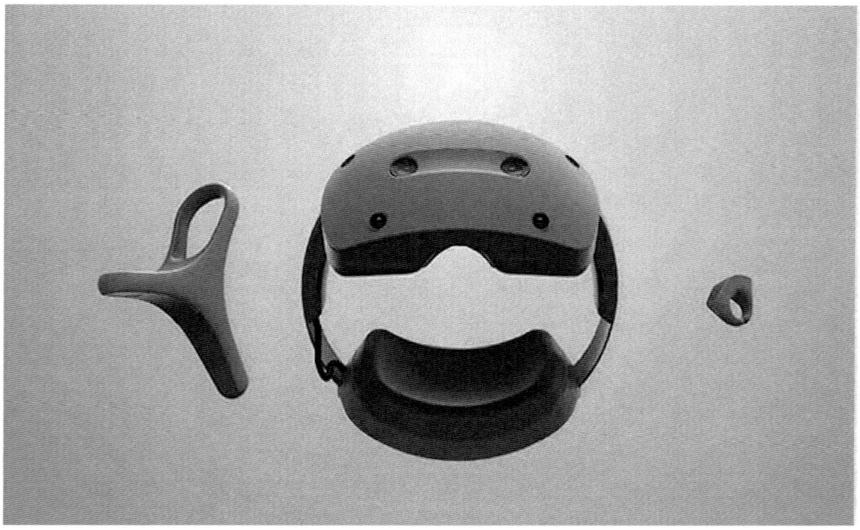

이 독립형 헤드셋은 메타의 퀘스트 3 및 비전 프로와 유사한 4K OLED 디스플레이와 비디오 패스스루 기능을 지원한다. 또 가상 환경에서 3D 객체와 상호작용할 수 있는 2개의 컨트롤러가 있다. 포인터와 링 컨트롤러는 물론 물리적 키보드를 사용하면서 3D 객체를 조작할 수 있다. 2024년 후반에 출시할 예정이다. 이 헤드셋의 첫인상을 비전 프로 및 바르요(Varjo)의 XR-4와 비교한 지디넷의 기사에 따르면 소니의 기기는 독립형 기기로 출시되지 않는다. 대신 지멘스 NX 몰입형 디자이너(Siemens NX Immersive Designer) 소프트웨어(CES에서 발표됨)와 함께 패키지로 판매될 예정이다.140)

139) 생각보다 더 안 팔리네…소니 'PS VR2' 헤드셋 생산 잠정 중단, 글로벌이코노믹, 2024.03.19
140) '변곡점 왔지만 갈 길 멀다' 2024년 AR/VR 시장 전망, CIO, 2024.01.23

5. 결론

5. 결론

현재 디지털 콘텐츠는 각 분야별로 플랫폼의 이동과 기술 향상에 따라 그 형태가 변화되고 있다.

먼저 디지털 출판 콘텐츠는 단순히 종이책에서 전자책으로의 포맷 변화 뿐만 아니라, 하나의 '전자책 시장'이 형성되고 있으며, 각종 전자책 기업들은 챗북, 오디오북 등 다양한 서비스를 제공함에 따라 다른 플랫폼들과 차별점을 두려고 경쟁하고 있다. 코로나19 확산으로 출판계의 디지털화가 더욱 가파르게 진전되었으나 2022년 말 기준으로 코로나19가 어느 정도 종식되고 그에 따라서 대형 오프라인서점 중심으로 오프라인 판매 매출이 증가했지만 디지털 콘텐츠의 강세는 분명하다.

디지털 게임은 온라인, 모바일 게임의 대중화와 코로나 팬데믹의 영향으로 눈부신 발전을 이루었다. 엔데믹 전환에 따른 재택 시간 감소와 대안적 엔터테인먼트의 무각등으로 하락세를 보였지만 산업 규모는 성장 추세에 있다.
엔터테인먼트 산업적 요소가 강하며, 애니메이션, 영화, 방송, 음악, 캐릭터산업과 같은 주변 산업과의 접목이 용이하기에, 최근에는 인기있는 웹툰 원작 IP를 활용하여 게임으로 제작하는 사례도 많아지고 있다.

디지털 만화(웹툰)는 One Source Multi Use(OSMU)적 성격을 보여주며, 전통적인 만화 못지 않게 영화, 게임, 애니메이션, 연극, 뮤지컬 등의 다양한 장르에 원작으로 쓰이고 있다. 특히나 최근 넷플릭스를 필두로 OTT서비스가 강세를 보이면서, 웹툰 원작의 드라마와 영화들이 OTT 오리지널 콘텐츠로 많이 제작되고 있다.

디지털 방송은 기존 TV와 라디오의 대중매체에서 벗어나 다양한 형태로 변화되고 있는데 특히나 유튜브, 실시간 인터넷 방송(아프리카TV), OTT서비스 등으로 나누어 살펴보았다. 유튜는 현재 아프리카TV와 같이 실시간 후원제도를 도입하려는 움직임이 있었고, OTT서비스는 '넷플릭스'를 필두로 하여 성장세를 보이고 있는데 티빙, 웨이브, 왓챠 등의 국내 OTT서비스들이 넷플릭스의 행보를 뒤따라 오리지널 콘텐츠를 제작하려는 움직임이 돋보였다.

실감콘텐츠 분야는 '메타버스'라는 새로운 산업으로 확대되고 있는데, 국내외에서 IT기업들이 기술개발에 박차를 가하면서 향후 메타버스 산업은 더욱 성장세를 보일 전망이다. 이에 따라

업계에서는 해외 글로벌 기업들이 다가오는 메타버스 산업을 모두 독점해버리기 전에, 국내 IT기업들이 더욱 분발해야 한다고 강조하고 있다.

또한 증강/가상현실실(AR/VR) 시장이 들썩이고 있다. CES 2024에서 여러 제품이 발표됐다. 이른바 XR 기술(증강, 혼합, 가상현실을 포괄하는 용어)의 채택은 아직 초기 단계에 머물러 있지만, 하드웨어 업체는 기업과 XR 기술을 주류로 만들기 위해 고군분투하고 있다. 이번 CES에서는 새로운 혼합현실 헤드셋, 스마트 글래스 그리고 올해 말 차세대 하드웨어에 들어갈 퀄컴 프로세서가 공개됐다. 가트너의 책임 애널리스트 투옹 응우옌은 "CES 및 IT 업계에서의 발표는 생태계를 조성하는 데 필요한 시장과 혁신을 촉진해 발전 및 채택 증가에 도움이 될 것"이라고 말했다.[141)]

141) '변곡점 왔지만 갈 길 멀다' 2024년 AR/VR 시장 전망, CIO, 2024.01.23

6. 참고자료

6. 참고자료

1) 디지털 콘텐츠. 2021.6.23. 위키백과

2) 김용재/김규남/정현준(2013), “ICT생태계 환경변화에 따른 세부 산업별 최적 연구개발(R&D) 규모에 관한 연구”재인용

3) Nipa 이슈리포트 2018-제24호 2018.6.11. 『4차 산업혁명 시대, 디지털 콘텐츠 산업 생태계』 정보통신산업진흥원 디지털 콘텐츠 사업 본부 p.2~3

4) 전자책. 2020.7.13. 위키백과

5) 『2023 국민 독서실태 보고서』, 문화체육관광부, 2024.04.17.

6) 2022 출판산업실태조사보고서, 한국출판문화산업진흥원, 2023.06

7) 전자책 유통사 매출 4000억…디지털화 가속화하는 출판계 [김동욱의 하이컬처]. 2021.7.5. 한경

8) 밀리의 서재, 나무위키

9) 밀리의서재, 1분기 매출 168억·영업익 29억, ZDNET Korea, 2024.05.13.

10) 예스24, 크레마샵‘크레마샵에 놀러오세요’ 이벤트, 유통소비, 2024.04.03

11) 코로나發 집콕에...'전자책 플랫폼' 성장세 쑥쑥. 2021.7.15.이데일리

12) '뜨는' 전자책, '지는' 종이책…출판시장 판도 변화 가속, 하이테크정보, 2024.01.01.

13) [시장분석] 게임산업의 특성 및 시장 현황, 미래한국, 2016.12.13.

14) 국내 게임산업 동향 및 발전방안, KDB, 2008.

15) 스트라베이스, 2005

16) 콘텐츠의 실질적인 관리 및 운영을 담당하는 업체

17) "우울한 코로나지만, 게임이 있어 괜찮아". 2021.8.1.MoneyS

18) 모바일게임 RPG 장르 10% 하락...보드게임은 18% 성장세, THEELEC, 2024.03.07.

19) 크래프톤, '배틀그라운드' 웹툰 3종 인도 시장에 출시, 글로벌이코노믹, 2022.04.20.

20) 크래프톤, ‘e스포츠 차트’와 파트너십,‘배그’대회 강화 드라이브, 1코노미뉴스, 2024.06.05

22) 영화 만드는 게임회사들…디즈니 꿈꾼다. 2021.7.30. JTBC뉴스

23) 넥슨 ‘블루 아카이브 더 애니메이션’ 韓·日 방영, IT조선, 2024.04.08.

24) 넥슨, ‘카페 메이플스토리’ 상표권 등록... IP영향력 확장, 1코노미뉴스, 2024.06.04.

25) 쿠키런 애니메이션 나온다… 게임 IP 무한확장시대, 아시아경제, 2024.01.29.

26) 플랫폼 확장·이종산업 결합·기성 IP 활용...게임업계 흥행 전략은 다변화 중, TECH G, 2024.06.06

27) 『디지털 플랫폼에 따른 맞춤만화 모델링 연구』 한창완, 이승진 저

28) 스트라베이스, 《2009 해외 콘텐츠 시장 조사(만화)》, 한국 콘텐츠 진흥원, 2010, pp.18-19
29) 웹툰, 2021.7.13 최종수정, 위키백과
30) "드라마를 웹툰으로"…모바일 겨냥한 원소스 멀티유즈의 변주.2021.5.28.데일리안
31) 글로벌 흥행작 알고보니 '웹툰 원작'… 네카오 IP사업 힘준다, 파이낸셜뉴스, 2024.06.03.
32) "지난해 넷플릭스 오리지널 한국 드라마 절반은 네이버웹툰 원작", 아이뉴스24, 2024.06.01.
33) '결국은 콘텐츠' 네이버·카카오의 신흥 노다지는 IP, 브릿지경제, 2024.06.08.
34) 네이버웹툰 '캐릭터챗' 이달 첫선…"주인공과 생생한 채팅", 미라클아이, 2024.06.09.
35) 네이버웹툰, '유미의 세포들 더 퍼즐' 글로벌 정식 출시, 아시아투데이, 2021.08.19.
36) 드라마 이어 영화까지… 네이버웹툰 IP '유미의 세포들 더 무비' 개봉, Moneys, 2024.04.03.
37) 네이버웹툰, 글로벌 IP 프랜차이즈 노린다…"IPO는 새로운 시작", 아시아경제, 2024.06.04.
38) 글로벌 흥행작 알고보니 '웹툰 원작'… 네카오 IP사업 힘준다, 파에낸셜뉴스, 2024.06.03.
39) '결국은 콘텐츠' 네이버·카카오의 신흥 노다지는 IP, 브릿지경제, 2024.06.08.
40) 카카오페이지, 지난 2년간 국내 도서 앱 매출 1위, 뉴시스, 2024.05.30
41) [IT큐레이션] 네이버와 카카오, KT가 IP를 다루는 법.2021.4.6.이코노믹리뷰
42) "콘텐츠株, 콘텐츠-플랫폼 결합 IP 확장 시너지 추구".2021.7.20.이데일리
43) 네이버·카카오 '웹툰 전쟁'. 2021.7.28.아시아경제
44) 카카오웹툰 국내 출시 이틀 만에 거래액 10억 원 달성.2021.8.3.서울경제
45) "연봉 3억원 이상 수두룩" 웹툰 작가 이렇게 많이 버나.2021.7.29.헤럴드경제
46) 보는 서비스 - 방송 수신 서비스 (훤히 보이는 디지털홈과 u라이프, 2008. 9. 22., 한인탁, 박준석, 문경덕, 배창석, 백의현, 조일연, 최상성, 허재두, 박광로, 한동원, 김채규)
47) 위성DMB 다음달 31일 종료한다 연합뉴스 2012.7.5 2017.1.19 확인
48) 위키백과, 디지털 멀티미디어 방송
49) 위키백과, 유튜브
50) 유튜브, '슈퍼땡스' 도입하는데…'별풍선·스푼'엔 30% 수수료 족쇄.2021.7.29.조선비즈
51) 나무위키, 아프리카TV
52) 1인 방송 시대 저작권 정책..."플랫폼이 책임진다" - 머니투데이
53) 위키백과, 아프리카TV
54) 별풍선 매출에 광고 없은 아프리카TV, 사상 최고가.2021.7.30.매경이코노미
55) 아프리카TV, '숲'변경 vs 치지직, 정식출시…'토종 스트리밍' 경쟁 본격화, 신아일보,

2024.04.26.
56) 아프리카TV서 이름 바꾼 SOOP, 1분기 영업익 작년 대비 56%↑, 연합뉴스, 2024.04.29.
57) “낯익지만 잘 모르는 OTT”. 《business watch》. 2015년 8월 11일. 2016년 6월 2일에 확인함.
58) 국내 OTT 서비스의 특징과 순위, 잡학서고
59) 서, 기만 (2011년 3월). “OTT 서비스의 이해와 전망”. 《방송공학회지》 16권 (1호): 92-93p.
60) 격변의 OTT 시장, 2024년 이용 현황은?, MADCLUB, 2024.06.13
61) 『7 Powers: The Foundations of Business Strategy』 by. Hamilton Helmer
62) 넷플릭스가 성공한 이유는 문화도, 알고리즘도, 제품도 아니다.2021.7.29.ㅍㅍㅅㅅ
63) 넷플릭스가 모바일 게임 기능을 추가한다.2021.7.21.BBC뉴스 코리아
64) '이제 첫 걸음' 넷플릭스 모바일게임 글로벌 출시, GAMEPLE, 2021.11.04
65) '돈 스타브', '반지의 제왕'까지, 넷플릭스의 야심찬 게임 계획, THIS IS GAME, 2024.06.07.
66) 넷플릭스×김태호 PD 손잡았다…'먹보와 털보' 제작.2021.8.9.노컷뉴스
67) “유튜브와 방송 각각의 콘텐츠 노하우 최대한 접목시켰죠”, 세계일보, 2024.06.10.
68) 유재석 '더존'→최민식 '카지노'...론칭 1년 디즈니+의 '절치부심', YTN, 2022.11.05
69) '韓 철수설' 디즈니플러스, K-콘텐츠 제작 멈추나, MTN뉴스, 2023.07.19.
70) 이정재 '애콜라이트', 올해 디즈니+ 최고 시청 기록 달성, 뉴스1, 2024.06.12.
71) "국산 OTT 넷플릭스 앞질렀다"…티빙、웨이브, 합병 초읽기, 이투데이, 2024.06.11.
72) 웨이브 합병 앞둔 티빙 '갑질 논란',ZDNET Korea, 2024.06.12.
73) 웨이브, 나무위키
74) 웨이브, 1인당 평균 사용시간 1위 차지…넷플릭스·티빙 제쳐, 매일일보, 2024.04.15.
75) ‘1강’ 넷플릭스 뜻밖 주춤… 웨이브-티빙은 줄달음.2021.8.12.dongA.com
76) 웨이브, 韓 OTT 첫 유럽·오세아니아 진출, 아주경제, 2024.04.03.
77) ‘모범택시’, ‘런닝맨’, ‘꼬꼬무’ 2023년 웨이브 이용자가 가장 많이 본 콘텐츠, W뉴스룸, 2023.12.26.
78) 웨이브 오리지널 '모범택시', 본격 운행 시작합니다.2021.4.21.일간스포츠
79) 웨이브 오리지널 시네마틱 드라마 ‘SF8’ 전편 공개. 2020.7.11. SEN 서울경제TV
80) “좋좋소가 어쩌다…” 토종 OTT 왓챠 솟아날 구멍 있나, 더스쿠프, 2024.04.13.
81) 왓챠, 왓챠파티 수 30만 돌파 콘텐츠 시청의 트렌드 열다. 2021.7.29.인사이트
82) 왓챠, "저희 극장 열었어요"…왓챠파티 오프라인으로 확장, 클로벌이코노믹, 2024.03.20.
83) 왓챠, ‘브랜드 고객충성도 대상’ OTT 7년 연속 1위, 이데일리, 2024.05.07.

84) 왓챠, '스페셜 큐레이터 9인의 문화다양성 콘텐츠 큐레이션' 공개, 월요신문, 2024.05.21.
85) 제1회 왓챠 시리즈 각본 공모상 대상에 '공단', 아시아경제, 2020.12.29.
86) '제 2회 왓챠 시리즈·영화 공모전' 대상에 <골드 더스트>, 이데일리, 2022.02.14.
87) 왓챠, 안전가옥과 '2022 스토리 공모전' 개최, 하비엔뉴스, 2022.03.16.
88) 왓챠·CJ ENM이 공모전 여는 까닭은?, 한경라이프, 2020.09.01.
89) Toptal 자동차 산업의 가상 현실
90) 위키백과, 가상현실
91) 3D 가상현실을 보는 원리, http://truemind1.blogspot.kr/
92) VR/AR, 비현실의 현실화, 삼성증권, 2019.07.12
93) '첨단'과 '상상' 입은 기술, 혼합현실(MR)을 아세요?, 삼성뉴스룸, 2017.06.21
94) 전남도립대, 실감형 콘텐츠 분야 인재 양성 나서, 노컷뉴스, 2024.06.12.
95) 리콘랩스, 美 AWE 2024서 웹 기반 실감형 콘텐츠 제작 3D 모델링 엔진 소개, AIVNG NEWS, 2024.06.10.
96) 익산 미륵사 중문, 디지털 콘텐츠로 복원…체험 서비스, NEWSIS, 2024.05.17.
97) SKT, 메타버스 팬 커뮤니티 'K-POP 호텔' 오픈, 연합뉴스, 2024.06.09.
98) 구미시, 국내 첫 '경북도 국제 AI·메타버스 영화제' 연다, NEWSIS, 2024.06.09.
99) OTT업계, 실감형 콘텐츠 확보 '승부수'.2021.8.13.이뉴스투데이
100) 영종도 인스파이어, 국내 최대 실감형 미디어아트 전시관 오픈, 매일경제, 2024.04.29.
101) SKT와 만난 독립기념관…ICT 융합 '실감형콘텐츠'로 무장, NEWSIS, 2024.03.13.
102) 연평균 75.7% 급성장 '실감형 콘텐츠' 산업…관련 K-콘텐츠 스타트업들 발빠른 행보, THE STOCK, 2024.02.06
103) LG유플러스, 통신 업계 '아픈 손가락' 메타버스 사업 힘 쏟는 이유는?, 서울파이낸스, 2024.06.14.
104) 실감콘텐츠 실태조사 및 중장기 전략 연구, 한국콘텐츠진흥원, 2023.04.04.
105) '이달의 한국판 뉴딜'에 LG CNS의 모바일 운전면허증 등 4개 사례 선정, 열린뉴스통신, 2022.03.17.
106) 중국 콘텐츠 산업동향, KOCCA, 2022년
107) 마이크로소프트 홀로렌즈2, 증강현실 AI 비즈니스 솔루션 출하, 최종문, 일요주간, 2019.11.08.
108) [테크M 리포트]삼성·애플 이어 MS까지...메타버스 힘줄 '마이크로 LED' 판 커진다. 2021.08.13.TechM
109) MS, 新 VR/AR의 플랫폼 'MS 메시' 공개. 2021.3.3.아이뉴스24
110) MS, 메타버스의 설계자 '우뚝'.2021.3.3.이코노믹리뷰

111) 마이크로소프트, 팀즈용 메타버스 기능 정식 출시, ZDNET Korea, 2024.01.26.
112) 메타(기업), 나무위키
113) 페이스북, 메타버스 VR미팅 서비스 '워크룸' 공개, brunch story, 2021.08.20.
114) AR·VR 헤드셋 쓰면 가상세계 활짝… '메타버스'가 뜬다 [세계는 지금].2021.8.22.세계일보
115) '메타버스'에 꽂힌 마크 주커버그…페이스북 '가상 회의' 앱 공개. 2021.8.20. 한경
116) SKT '메타 퀘스트3', 국내 출시…오늘부터 사전예약, 이코노미톡뉴스, 2023.09.28.
117) 오큘러스 퀘스트, VR 콘텐츠 시장 조성에 성공, 안희권, 아이뉴스24, 2020.05.19.
118) 오큘러스, 나무위키
119) VR/AR, 비현실의 현실화, 삼성증권, 2019.07.12.
120) 외계인의 IT 플래닛
121) 조유진, 「구글의 사이보그 '구글 글라스'의 모든 것」,
122) MS 이어 애플·삼성도 뛰어드는 AR글래스… 2021년 '증강현실' 원년 될까?.2021.3.8.ITdongA
123) 구글맵스에 증강현실 접목…세계 어디든 여행 쉬워지죠, 신현규, 매일경제, 2019.10.13.
124) 구글, 증강현실 기술시장 다시 복귀, 한경글로벌마켓, 2024.05.31.
125) VR/AR, 비현실의 현실화, 삼성증권, 2019.07.12.
126) 밍치궈 "애플 VR헤드셋 내년 출시, AR글래스는 2025년에". 2021.3.8. 디지털투데이
127) 애플 '비전 프로' 이달 해외 판매 시작…中·日 있지만 韓은 빠져, 뉴시스, 2024.06.11.
128) 애플, 아이폰 후속작 'AR 글래스' 개발…2027년 출시?, Digital Today, 2024.06.24.
129) '변곡점 왔지만 갈 길 멀다' 2024년 AR/VR 시장 전망, CIO, 2024.01.23.
130) 사명 바꾼 소니, 금융업뿐 아니라 VR도 키운다, 김성은, 머니투데이, 2020.05.22.
131) 소니, 차세대 VR 시스템 예고…개발 '초기' 단계. 2021.2.24. The GURU
132) 소니, 발로 조작하는 VR 컨트롤러 특허 출원, ZDNET Korea, 2023.12.28.
133) 생각보다 더 안 팔리네…소니 'PS VR2' 헤드셋 생산 잠정 중단, 글로벌이코노믹, 2024.03.19.

초판 1쇄 인쇄 2021년 9월 02일
초판 1쇄 발행 2021년 9월 15일
개정판 발행 2024년 8월 22일

편저 비피기술거래 비피제이기술거래
펴낸곳 비티타임즈
발행자번호 959406
주소 전북 전주시 서신동 780-2
대표전화 063 277 3557
팩스 063 277 3558
이메일 bpj3558@naver.com
ISBN 979-11-6345-623-0(93560)
가격 66,000원

이 도서의 국립중앙도서관 출판예정도서목록(CIP)은 서지정보유통지원시스템홈페이지 (http://seoji.nl.go.kr)와국가자료공동목록시스템 (http://www.nl.go.kr/kolisnet)에서 이용하실 수 있습니다.